ELOGIOS PARA
ES NEGOCIO SER HONRADO

"¡Justo a tiempo! Qué necesario era que uno de los seres humanos, líderes industriales y filántropos más valiosos del planeta escudriñara de manera convincente acerca de diez de los valores universales que prevalecen en el campo de los negocios y la vida en general. Este libro nos edifica, inspira y motiva a poner en práctica estas lecciones en nuestras organizaciones, en todas las relaciones y especialmente para que en adelante empleemos el sentido común, el cual es obvio que no es tan común. La mayor grandeza del ser humano está en su carácter y deseo de contribuir. Otra de sus grandezas consiste en la forma personal de definir éxito, fortuna, fama, posición, etc. Pocos poseen estas dos grandezas. Jon es uno de ellos".

—Dr. Stephen R. Covey, autor de *The 7 Habits of Highly Effective People* y *The 8th Habit: From Effectiveness to Greatness*

"En su capacidad creativa, en su éxito en los negocios, en su enorme alcance filantrópico, en sus cualidades humanas, Jon Huntsman es único en su clase".

—Richard Cheney, Vicepresidente de los Estados Unidos, durante el homenaje a Huntsman Hall, en The Wharton School, de la Universidad de Pensilvania.

"Jon Huntsman ha navegado con éxito por la América corporativa guiado por una brújula de fuerte moral. En su libro Jon nos comparte su profundo conocimiento y nos cuenta cómo tener éxito en el mercado competitivo de hoy a medida que avanzamos".

—Senadora Elizabeth Dole

"El nuevo libro de Jon Huntsman debería ser una lectura obligatoria para los líderes —y para aquellos que aspiran serlo— en todos los campos. Sus secretos para triunfar no son exactamente secretos sino invaluables lecciones en las que él nos recuerda, con su vida —y ahora con sus palabras—, cuáles son los pilares sobre los que también nosotros necesitamos construir nuestra vida".

—Senador Tom Daschle

"El libro de Jon Huntsman es acerca de ética, valores y de sus experiencias. El estilo práctico con el que se comunica con sus lectores es increíble. Este es un libro inspirador para las generaciones florecientes".

—Jeroen van der Veer, Jefe Ejecutivo del Grupo Royal Dutch Shell

"A medida que leía el libro de Jon pensaba que mi padre había vuelto para decirme que, o se es honesto o se es deshonesto, que no existen intermedios entre 2+2=4, ni 3,999 ni 4,001. Además, si usted siempre dice lo que cree no necesita tener buena memoria. Si tan sólo pudiéramos vivir los principios que Jon ha seguido, qué distinto sería el mundo tanto en los negocios como en las relaciones personales".

—Jake Gam, ex-Senador de Estados Unidos y Astronauta

"Jon Huntsman logró llevarnos de regreso a lo esencial —a los verdaderos valores que trascienden en todas las profesiones y culturas. Nos ha dado ejemplos inspiradores de la vida real y demuestra que 'los chicos buenos' saben triunfar. Además nos muestra cómo aprender de los errores. Esta es una lectura "indispensable" para la gente joven que apenas comienza a incursionar en la escalera dorada del éxito, así como para quienes buscan reafirmarse en el hecho de que la manera en que escogemos vivir el día a día, sí cuenta".

—Marsha J. Evans, Presidenta y Gerente Ejecutiva
de La Cruz Roja Americana

"Una refrescante y cándida disertación hecha por alguien honesto acerca de los valores básicos que deben guiarnos desde la cuna hasta las salas de juntas".

—Chuck Prince, Presidente y Gerente Ejecutivo de Citigroup

"El punto de vista de Jon en cuanto a la conducta ética y moral en los negocios debería inspirar a todos los que lean este libro. Las lecciones de juego limpio y el hecho de permanecer inamovible frente a los valores morales y éticos personales, son principios que con el paso del tiempo reciben honra en el mundo de hoy —que tan frecuentemente los menosprecia. Aunque este libro está dirigido a gente de negocios, yo lo veo como una lectura que vale la pena para todo individuo en cualquier lugar del mundo".

—Rick Majerus, exanalista de basquetbol para ESPN y entrenador
legendario del equipo de la Universidad de Utah

"Es verdad que todas las empresas están orientadas a ser lucrativas, pero la avaricia por la riqueza y el deseo ardiente de ser competitivo tienden a tentar a más y más ejecutivos a recurrir a prácticas inescrupulosas y antiéticas. Y aunque los que sucumban a la tentación logren éxitos temporales, sus mentiras lucrativas y fraudes serán su ruina final causando grandes pérdidas a sus accionistas. El libro de Jon es un llamado al mundo corporativo a reafirmar los valores morales y aprender la responsabilidad de compartir las ganancias con la sociedad alineándonos con el estándar económico del país".

—Jeffrey L.S. Koo, Presidente y Gerente Ejecutivo de Chinatrust Financial Holding Co.

"Al captar de forma concisa lo que las principales creencias del mundo sostienen como una verdad inexpugnable, y sosteniendo que el comportamiento ético y la disposición hacia dar más de lo que se recibe son el camino a la realización y el éxito en la vida, *Es negocio ser honrado* se ocupa de navegar hábilmente exponiendo estos conceptos con claridad y profundidad".

—Louis Columbus, Director de Desarrollo de Negocios de Cincom Systems

"Este es fácilmente el libro de negocios más valeroso y personal desde que Bill Georges escribió *Authentic Leaedership*. Si alguien tuviera dudas acerca de cómo lograr una diferencia sustancial en el mundo, este maravilloso escrito debería disiparlas de inmediato. Ojala que su contenido se ponga en práctica en el mundo entero".

—Charles Decker, autor de *Lessons from the Hive: The Buzz for Surviving and Thriving in an Ever-Changing Workplace*

"Jon Huntsman y yo tenemos esto en común: fuimos criados para trabajar duro, jugar limpio, mantener la palabra y retribuirle a la comunidad. Me identifico con lo que él dice. *Es negocio ser honrado*".

—Karl Malone, dos veces MVP de la NBA y leyenda del Jazz de Utah

"En una época de escándalos corporativos y excesos, Jon Huntsman nos recuerda el eterno valor de la honestidad y el respeto. Así mismo nos muestra que la moralidad y la compasión son ingredientes esenciales para el éxito verdadero. A través de los años sus logros extraordinarios en los negocios han estado acompañados por un sentido de caridad que continúa tocando muchas vidas. Tengo el privilegio de tenerlo como amigo".

—Mitt Romney, ex-Gobernador de Massachusetts

"No pude soltar este libro después de leer la primera página. Su contenido enmarca los valores respetados universalmente, ya sea en Estados Unidos, China o cualquier otro lugar. Un hombre especial y amoroso emerge tan vívidamente de estas páginas, que parece hablarnos cara a cara, como un miembro de la familia. Mi vida es más rica y mi mentalidad es más amplia después de leer este libro. Estoy muy orgulloso de mi amistad con Huntsman".

—Yafei He, Director General del Ministerio de Asuntos Internacionales - China (Dept. of North American and Oceanic Affairs)

"Nada podría ser más pertinente que este interesante libro escrito por uno de los hombres de negocios y líder cívico más conocido de Estados Unidos, quien habla acerca de la necesidad urgente de actuar con ética tanto en nuestra vida pública como privada. John Huntsman, nos comparte con claridad y sabiduría sus directrices para vivir con integridad y valentía. Es un tónico maravilloso para la gran cantidad de aflicciones que afrontamos actualmente. Es negocio ser honrado es el manual para todo aquel que desea triunfar en los negocios o en la vida".

—Andrea Mitchell, NBC News

"Jon Huntsman es más que un empresario fenomenalmente exitoso. Es un gigante de los líderes y un modelo de integridad. En *Es negocio ser honrado: incluso en los momentos más difíciles* el Sr. Huntsman establece un vínculo inquebrantable entre seguir la brújula de la moral interna y lograr éxito duradero. Su libro está lleno de sabiduría eterna y ejemplos oportunos; además contiene una historia de vida inspiradora. ¡Jon es por excelencia un buen tipo que supo llegar a la meta de primero!".

—Dra. Amy Gutmann, Presidenta de la Universidad de Pensilvania

Es
negocio
ser honrado

Incluso en
los momentos
más difíciles

JON M. HUNTSMAN

TALLER DEL ÉXITO

CONTENIDO

AGRADECIMIENTOS

Quiero expresar mi gran aprecio a Jay Shelledy, escritor profesional y editor, quien desafió y organizó mis pensamientos y me ayudó a expresarlos por escrito; a Pam Bailey, mi dedicada y fiel asistente administrativa, quien suavizó mi batalla contra aquellas asombrosas y desconocidas complejidades de escribir un libro.

También deseo agradecer profundamente a los profesionales de Wharton School Publishing: A Tim Moore, Vicepresidente y Editor; a Amy Neidlinger, Editora Asociada y Directora de Mercadeo, por su fe y aliento para que publicara una versión actualizada; a Gina Kanouse por sus valiosas sugerencias sobre esta edición; mi agradecimiento también es para Logan Campbel, Vicepresidente de Ventas y Mercadeo de Pearson Education; para John Pierce, Director de Mercadeo, por su compromiso inquebrantable y paciencia con este autor principiante; a Russ Hall, Editor de Desarrollo, por sus críticas claras y sencillas; a Kristy Hart, Editora General; a Keith Cline y Sarah Kearns, correctoras de estilo, por sus sugerencias diligentes en pro de la calidad y por la preparación de mi manuscrito; a los administradores de Wharton School; a la facultad y a los estudiantes por su apoyo permanente y otros esfuerzos.

Sería muy descuidado de mi parte si no reconociera las contribuciones de Larry King, cuya amable introducción le dio el tono a lo que sigue; a Neil Cavuto, por su amable epílogo y por su libro *More Than Money* que me sirvió de inspiración; a Glenn Beck, por su amable y modesto prefacio. Ellos son más que sólo profesionales exitosos altamente respetados por sus compañeros: son mis amigos.

Estoy en deuda con mi madre y otros miembros de mi familia, vivos y fallecidos, por dotarme de modelos de amabilidad y decencia; también con mi suegro, David Haight, quien siempre creyó en mí.

Sin embargo, mi mayor deuda está reservada para mi esposa Karen, nuestros 9 hijos y 58 nietos, por llenarme de 68 razones convincentes del porqué una persona debe mantenerse en el camino apropiado.

J.M.H.

PREFACIO

Existe una alta probabilidad de que usted nunca haya oído hablar de Jon Huntsman. Él le huye a ser el foco de atención, no le gusta hablar de sí mismo y aún menos cuando otros hablan de sus buenas obras. Si usted alguna vez ha usado un plato de plástico, contenedor o una caja de alimentos hechos de poliestireno, debe agradecérselo a Jon Huntsman. Su compañía fue la primera en desarrollar esos productos al tiempo con la caja de plástico para huevos, la caja original de la Big Mac y las cucharas y tenedores plásticos. El pequeño negocio que él inició con su hermano en 1970 se convirtió en la compañía privada de químicos más grande del mundo.

Sin embargo el verdadero legado de Jon Huntsman no es la compañía multimillonaria que construyó, ni cómo él revolucionó la forma en que vivimos con y gracias a sus invenciones, sino su infranqueable honor, integridad y generosidad en cada aspecto de su vida profesional y personal. En una era de abogados de alto costo y contadores siempre buscando la última escapatoria legal o ventaja táctica, Jon Huntsman ha sellado sus negocios con un apretón de manos. Negocios valorados en cientos de millones de dólares fueron hechos y concluidos literalmente con nada más que ambas partes mirándose a los ojos y estrechando un apretón de manos. Esa es la reputación de Jon Huntsman y su mejor legado.

Para mucha gente esta sería solamente una anécdota más o un recordatorio nostálgico de cómo solía ser la vida antes y argumentarían que Jon Huntsman es un hombre hecho para tiempos diferentes y más simples. Yo en cambio opino que quienes piensan así se encuentran fuera de lugar puesto que Jon está viviendo actualmente la vida que todos quisiéramos, pero de alguna manera muchos se han convencido de que los negocios y las relaciones ya no se manejan como él sigue haciéndolo actualmente.

¡No pueden estar más equivocados!

Conocí a Jon Huntsman en una visita a Utah cuando un amigo en común nos arregló una cita para almorzar juntos. No conocía mucho acerca de él pero sabía que era un hombre hecho a pulso y un multimillonario. ¿Quién rechazaría un almuerzo con un multimillonario? Cuando supe que almorzaríamos en la cafetería de un hospital pensé que ese no era exactamente el estilo de vida de un rico y famoso, pero pronto entendí que la cafetería del Huntsman Cancer Institute no es cualquier cafetería.

Unas de las costillitas de mejor calidad que he comido fueron durante ese almuerzo. ¿Cómo puede la comida de un hospital saber tan delicioso? Me enteré que antes de la apertura del Huntsman Cancer Institute, Jon Huntsman peleó contra el cáncer. Durante su hospitalización y curso del tratamiento Jon y otros pacientes con cáncer sentían hambre a las 3:00 de la mañana o a las 9:00 de la noche pero a esas horas la cocina ya estaba cerrada, así que él decidió establecer una cena "5 estrellas" para todo el mundo. Los pacientes tienen derecho a ordenar lo que deseen, a la hora que deseen, pues Jon no quiere que ellos ni sus familiares se preocupen por tener hambre o por consumir comidas blandas mientras batallan contra el cáncer. Ellos ya tienen otras cosas en las cuales enfocarse.

Huntsman Cancer Institute es un lugar maravilloso y hermoso. A medida que caminábamos por los edificios observé que el diseño completo está enfocado en proveer comodidad, calidez y consideración a los pacientes. El equipo médico y tecnológico es sin igual. A la mitad de nuestro recorrido Jon se detuvo, me miró a los ojos y dijo: "Vamos a curar el cáncer aquí y luego lo convertiremos en un Hotel Ritz Carlton". Me reí y él contestó: "Es en serio, aquí vamos a curar el cáncer". Y yo le creo.

Conocí a varios pacientes agradecidos y a sus familias. Sus sentimientos y elogios por el Huntsman Cancer Institute fueron generalizados. Un paciente explicó cómo su hijo había sido diagnosticado con una forma agresiva de cáncer y fue programado para viajar desde Filadelfia al Huntsman Cancer Institute para una evaluación y tratamientos iniciales. Los dos llegaron al aeropuerto de Filadelfia y allí les informaron que los vuelos a la ciudad de Salt Lake habían sido cancelados debido a una fuerte tormenta de nieve. A medida que el padre relataba la historia brotaban lágrimas de sus ojos. Dijo que cada retraso en la obtención de tratamiento resultaba en una expansión del cáncer por el cuerpo de su hijo. Entonces él llamó al Huntsman Cancer Institute y dio aviso de su demora y de sus intentos por reprogramar el vuelo. Le contestaron que siguiera intentándolo y que el equipo médico se comunicaría con él. Después de unos minutos con el corazón destrozado el padre recibió una llamada del instituto en la que le dijeron que el Sr. Huntsman estaba enviando su jet privado a Filadelfia para recogerlos a él y a su hijo y llevarlos directamente a Salt Lake. Si Jon Huntsman no tuviera su forma única de hacer las cosas, esta historia no sería especial sino algo que ocurre con frecuencia.

Podría pasar un día entero compartiendo con usted todo lo que aprendí esa corta tarde con Jon Huntsman, pero me tomaría un año compartirle lo que me gustaría aprender de él. La forma en que Jon dirige los negocios y lleva su vida no solamente nos inspira a ser mejores personas, ciudadanos y ejecutivos, sino que nos da la esperanza de que las buenas personas no siempre terminan en el último lugar.

A lo largo de esta lectura sé que usted sentirá lo mismo que yo la primera vez que lo leí. Espero que también se sienta obligado a compartirlo con la mayor cantidad de gente posible. Yo nunca había comprado un libro guiado por la carátula, excepto este. Cuando encuentro individuos que se preguntan si es factible hacer negocios con honestidad e integridad, inmediatamente les envío una copia de este libro para recordarles que la respuesta es "Sí, no sólo se pueden hacer, sino que se están haciendo".

Este no es un libro limitado a los negocios. Tampoco es acerca de la compañía que inventó las cajas plásticas para huevos, los platos y cubiertos plásticos, sino acerca del hombre detrás de todo eso. Su tema central trata de la vida, de los principios y de cómo el éxito es un subproducto de vivir bajo esos principios. Nos enseña cómo el éxito y las bendiciones llegarán corriendo a usted sólo por hacer el bien. Jon Huntsman lo cuestiona sencillamente para saber si usted sería capaz de deshacerse del dinero y las bendiciones del éxito, si eso fuera necesario.

En el mundo de hoy, en donde la gente trata de atrapar y acumular tanto dinero como pueda, en donde los políticos hacen cualquier cosa por alcanzar el poder y creemos erradamente que los negocios no logran hacerse con sólo mirarse a los ojos y estrechando las manos, es tiempo que recordemos valores como la honestidad, integridad y generosidad. Así como George Washington lo fue en su tiempo, hoy Jon Huntsman es nuestro "hombre indispensable". Conozca a Jon Huntsman al tiempo que él aun sigue mostrándonos el mejor camino a seguir.

Glenn Beck
Glenn Beck Talk Show, CNN's Headline News

Buenos tiempos, malos tiempos

Las circunstancias cambian pero sus valores no

Cuando escribí la edición original de este libro en el otoño del 2004, ya había experimentado cuatro décadas en el mundo de los negocios. Mi vida se había enriquecido en todos los aspectos. Como otros antes que yo, descubrí que "la felicidad no es la ausencia de conflicto sino la habilidad de enfrentarlo". Lo había visto todo: la codicia, la trampa, el engaño y el egoísmo, así como también los triunfos, los milagros, los nuevos ricos y los estafadores.

O por lo menos eso creía. Con el tiempo me di cuenta que estaba equivocado. En el lado negativo existe abundancia de secuelas (y unas pocas en el positivo). A medida que reescribía estas líneas en el otoño del 2008, el uso de la vía fácil en cuanto a la ética había aumentado más que el precio del galón de gasolina. Hasta los inviernos más rudos y fríos en el área rural de Idaho parecían más fáciles de soportar que algunas de las trampas cometidas en Wall Street. Los valores tradicionales estaban tan de moda como los préstamos hipotecarios de alto riesgo.

Los buenos tiempos entre el 2004 y el 2007 —el auge en el mercado, la inversión inmobiliaria, el crédito fácil, los costos de energía relativamente aceptables— conspiraron para hacernos moralmente débiles. Es fácil tomar el camino ancho cuando nos conduce a tiempos mejores. La generosidad no es difícil cuando el dinero fluye.

Históricamente, los escenarios positivos en el área de la economía van seguidos de crisis dolorosas. Como resultado de estas crisis se presentan tentaciones para cambiar las reglas, para acumular posesiones materiales y desechar la decencia, como ya ha ocurrido en el pasado. Debido a la ira, el miedo, el estrés y la frustración, la tentación a cortar caminos se vuelve fuerte y persuasiva. Para la gente honesta y con corazón de triunfadora, tiempos como estos son sólo el momento para una prueba más.

Cuando recogemos una cosecha abundante la mayoría de nosotros procura mantener el sentido común y el interés en el juego limpio. Sin embargo esto es bastante aparente ya que dada la cantidad de engaños, comportamientos fraudulentos y la codicia de estos tiempos, no todo el mundo sigue las normas. De hecho, la cantidad y profundidad de conductas abominables es alarmante. Desde los préstamos hipotecarios de alto riesgo hasta la especulación en los mercados petroleros, las crisis en el campo de los seguros y en el sector financiero, así como la falsificación de las condiciones económicas de las compañías, los abusos éticos han sido asombrosos.

Desafortunadamente, tomar la "vía correcta" difícilmente amortigua los golpes económicos. Tales decepciones terminan por confundirnos y enojarnos, pero ese no es el momento para entrar en pánico ni perder el rumbo de nuestra brújula moral. En la lápida de la tumba de mi madre en Fillmore, Utah, están grabadas estas palabras inmortales de Shakespeare: "Dulces son los resultados de la adversidad". Los ganadores con el éxito asegurado entienden este adagio. Las crisis deben y pueden resolverse por vías morales. En esta tarea, mantenga en mente dos cosas:

1. La situación es más dura de lo que parece pero pasará. Vendrán mejores tiempos. La Historia así nos lo muestra. Los americanos inherentemente tendemos a ser optimistas, está en nuestros genes. El hecho es que los pasados 20 años en su totalidad han sido bastante buenos para nosotros.

2. Los tiempos de prosperidad no garantizan que nos adhiramos por siempre a un camino moralmente recto. La mayoría de las personas se aferra con fortaleza a un

código de ética establecido, independientemente de que la economía suba o baje; pero algunos sienten la necesidad de obtener inclusive más ganancias financieras, sin importar las circunstancias ni las consecuencias.

Las catástrofes hipotecarias de alto riesgo y el desastre en los precios de la energía surgieron a raíz de la codicia pura, del deseo de obtener ganancias sin invertir nada. Ambas nacieron de la ilusión del dinero fácil, libre de riesgos y duradero. La erosión de los valores morales es la consecuencia lógica de esa mentalidad. Tales conductas requieren de un nuevo trazado de los límites de la ética. Esta clase de codicia destruye los fundamentos financieros y emocionales de los demás. Para algunos, la idea de encontrar una alternativa moral aceptable queda "puesta en espera" hasta no alcanzar alguna despreciable meta.

Cuando los límites éticos son rediseñados o removidos, la adicción a la riqueza lo consume todo. Cuando la ocasión triunfa sobre la propiedad, el resultado es un trineo cuesta abajo desde la cúspide, un descenso imposible de detener hasta que el trineo choca por excesiva velocidad y falta de dirección. La explosión de los tardíos años 90 es evidencia suficiente de esto. Quizá los fondos de cobertura de hoy sean la próxima prueba.

Este escenario es el resultado de un fundamento defectuoso. Esa clase de "objetivo" o "meta despreciable" es una ilusión pues se basa en la premisa de una bancarrota ética de la cual no es posible obtener nada positivo. Metas así nunca van a ser alcanzadas. Nunca habrá "suficiente" dinero; nunca habrá "suficiente" poder. Por lo tanto el "éxito" que algunos imaginan nunca será alcanzado. La colisión es casi siempre el siguiente paso luego de una visualización vertiginosa de "éxito" que no está sólidamente basada en fundamentos económicos ni éticos. Y ante este hecho no queda más que afrontar las consecuencias.

Si todo fuera justo en la vida, los perpetradores de colapsos económicos serían los únicos que sufrirían por su indecencia. Pero la vida no es justa y la caída frecuentemente involucra a gente buena que sigue las reglas, que confía en las instituciones, que tiene que sobrevivir a los tiempos difíciles generados por otros. Los inocentes deben sufrir por los pecados de la gente avara, nueva rica, engañosa, indecente y mentirosa. Con los tiempos difíciles llega otra clase de tentación: la necesidad de cortar caminos, de agarrarse a lo que cada uno tiene, de racionalizar que los valores tradicionales pueden desecharse si el barco se está hundiendo. Durante este periodo es posible caer fácilmente en la trampa descrita por William Wrigley Jr: "Las dudas y temores de un hombre son su peor enemigo".

La confusión, la frustración, el estrés y los miedos que llegan con los problemas financieros tratan de lograr que aún el más ético de los individuos sea vulnerable a hacer malas elecciones. Sin embargo, recordar el camino moral y disciplinarnos a seguirlo nos ayudan a sostenernos en esos momentos difíciles. Si existe un hecho positivo rescatable en los malos tiempos es este: cuando se enfrentan desafíos severos la mente normalmente está en su estado más agudo. Rara vez los humanos hemos creado algo de gran valor hasta que no estuvimos muy agotados o heridos.

Las discusiones acerca de ética son fácilmente mal interpretadas por algunas mentes. En realidad es muy sencillo. La adherencia a un código ético se evidencia en la forma de honrar una mala situación o un mal negocio. Sabe Dios que es muy fácil honrar un buen negocio o tomar ventaja de un evento o circunstancia que sea gratificante y benéfica para todas las partes.

Mientras escribo, mi compañía Huntsman Corp., ha cerrado un caso en el tribunal de Delaware. El asunto se centraba en que la contraparte estaba tratando de cancelar un contrato con nosotros. Las condiciones económicas cambiaron de alguna manera en el tiempo entre el inicio del contrato hace un año y el tiempo de su ejecución, así que los prospectos de la otra compañía estaban más pesimistas para seguir adelante que cuando firmaron.

Una de las abogadas de la compañía, quien firmó un contrato "inmodificable" con nosotros pero que está tratando de deshacerlo, hizo una declaración interesante ante el juez: "Este es un contrato muy hermético", le dijo al juez. "Por lo tanto debemos buscar cualquier vacío posible para salvar a mi cliente de honrar este acuerdo".

Desafortunadamente, esta clase de comportamiento es bastante frecuente. Con abogados astutos a veces funciona. La mayoría de las veces, sin embargo, los contratos estrictos son simplemente lo que son desde el principio: un acuerdo que hay que cumplir entre dos partes. Y la forma en que honremos situaciones que se tornan agrias o un negocio que termina siendo más costoso de lo que se pensó originalmente, es la forma en que cada uno de nosotros define sus valores personales.

Encuesta tras encuesta, americanos de todos los tipos, —republicanos, demócratas, bautistas, judíos, unitarios, liberales, conservadores, ricos y pobres—, todos están preocupados acerca de los valores. Yo también lo estoy. Algunos gritan su angustia para que todos escuchen; otros expresan sus preocupaciones calladamente. La civilización tiene estándares básicos en cuanto a la forma adecuada de pensar. Ese fue el tema de *Es negocio ser honrado* cuando fue publicado hace tres años, y lo sigue siendo aún en esta versión actualizada.

No tengo que pintar paisajes detallados. Cada lector es capaz de identificar sus propias experiencias dolorosas empezando el 2007. El escenario no es ni misterioso ni coincidencial: codicia desenfrenada frecuentemente antiética, comportamiento temerario que temporalmente se convierte en el grifo de dinero y alimenta la histeria de muchos. Y a todo esto le siguen la conmoción, la ira y el corazón roto.

༚

La doble tragedia ocurre cuando la generosidad se vuelve sustituible en tiempos de retracción. La enseñanza básica a compartir infundida en nosotros desde la niñez es apagada por el instinto egoísta de sobrevivir en la edad adulta. ¿Alguien se sorprendió si las donaciones de caridad disminuyeron en la segunda mitad del 2007 y se derrumbaron en el 2008? ¿Nos asombramos porque el civismo y la decencia estén en decadencia cuando estamos en tiempos de supervivencia? Inclusive la tolerancia y la caridad también son pilares del comportamiento ético. Tanto en buenos como en malos tiempos nuestros valores deben instarnos a actuar con amabilidad y generosidad.

La mayoría de nosotros se preocupa uno del otro. Los seres humanos tenemos mucho más en común que diferencias con los demás. Diferencias de religión, elección política, familia, estatus financiero y social o vocación, no obstaculizan el hilo común de la decencia personal de gran parte de la humanidad. A pesar de la afinidad de los americanos en cuanto a la autoconfianza, muchos creemos en el cuidado de unos a otros. Albert Schweitzer lo dijo bien: "Usted no vive en un mundo que le pertenece sólo a usted. Sus hermanos también están aquí".

Un código ético de conducta no es una denominación religiosa a la que todos menos los sociópatas más fuertes pueden suscribirse. La responsabilidad ética es el estándar de oro para determinar cursos de acción civilizados y decentes. Sin valores establecidos y comúnmente aceptados, la Tierra se convertiría en una pelea global de la humanidad por la sobrevivencia.

Es importante para las sociedades establecerse sobre un conjunto de valores comunes para todos, que sea generalmente aplicable para cada una de las situaciones. No es posible separar la ética para el hogar, para el trabajo, para la iglesia, y para el juego. La ética pertenece al hogar y a la sala de juntas. Y aunque parezca que los campos de juego han cambiado las reglas debido a presiones inusuales, o que las reglas se hayan vuelto maleables para acomodarse a situaciones inesperadas, los valores principales permanecen tan sólidos como el cemento.

Debido a los eventos recientes vi la necesidad de escribir una versión actualizada de este libro, no porque lo que dije la primera vez no aplique más, sino por el contrario, porque se mantiene tan relevante hoy como cuando lo escribí originalmente, tan incambiable como cuando aprendí los principios éticos hace 6 décadas. Y se seguirá manteniendo igual otras 60 décadas a partir de ahora.

Esta versión de *Es negocio ser honrado* es una advertencia de que en los tiempos más oscuros, la tentación se verá más atractiva. Estos son tiempos para aconsejarnos mutuamente, son el recordatorio para permanecer en el curso correcto, para correr la buena carrera, para pelear la buena pelea, para seguir las reglas que aprendimos hace mucho tiempo porque ellas nos ayudarán a atravesar las dificultades y a ser mejores en un mundo mejor.

Revisar periódicamente el estado de nuestra ética propia es saludable. Los tiempos cambian, las situaciones cambian, la vida cambia, la tecnología cambia. Las situaciones también pueden alterarse; pero los valores básicos, no.

Las reglas básicas de buen comportamiento nos fueron inyectadas cuando éramos niños, al igual que las vacunas, y se nos convirtieron en el antídoto para comportarnos éticamente siendo ya adultos.

Los tiempos duros no deben vencernos. Estamos equipados con los valores que nos han acompañado desde nuestros primeros años. Tal preparación nos da la fuerza para soportar las fuertes tormentas.

Naveguemos...

"Si a veces el juego se pone en nuestra contra, inclusive en el hogar, debemos tener paciencia hasta que la suerte dé un giro y logremos encontrar la oportunidad para recuperar los principios que hemos perdido, ya que los pusimos en riesgo".
—Thomas Jefferson

"Comerciar sin moral".
—El cuarto de los siete pecados de Gandhi

CAPÍTULO UNO

Lecciones desde la arenera

Todo lo que necesitamos
para mercadear hoy,
lo aprendimos cuando niños

Al crecer en una zona pobre y rural de Idaho fui enseñado a jugar siguiendo las reglas. Ser rudo, competitivo, darlo todo en el juego, pero justamente. Esos eran valores básicos que marcaban la pauta de cómo las familias, los vecindarios y las comunidades se comportaban. Mis dos hermanos y yo tuvimos algo en común con los niños de otros vecindarios más favorecidos: un sistema de valores aprendido en casa, en areneras, campos de juego, salones de clase, escuelas dominicales y campos atléticos.

Tales valores no perdieron su legitimidad cuando me convertí en un jugador del mundo de los negocios. Es más, hoy los valores son escasos en algunos segmentos del mercado. Wall Street está sobresaturada de avaricia. Algunos abogados corporativos hacen fortuna al manipular contratos y encontrar la manera de salirse de pactos ya firmados. Muchos directores operativos disfrutan de estilos de vida como reyes aún si las partes involucradas (socios, accionistas, empleados) pierden sus trabajos, pensiones, beneficios, inversiones y confianza en el sistema americano.

Libros de contabilidad alterados, auditores tramposos, traiciones y estafas de todo tipo, se han agregado al clima corporativo de hoy. Muchos directores de toda clase de entidades se deleitan con regalías y honorarios ganados solamente por mantener feliz a Wall Street y para conservar sus ganancias personales intactas.

En los pasados 20 años la avidez de los inversionistas se ha vuelto obsesiva y es una conducta con la cual los directores operativos deben lidiar. Las compañías públicas son presionadas cada trimestre para obtener desempeños cada vez más altos para no correr el riesgo de que sus accionistas y socios se retiren.

Los reportes financieros alterados y lejanos de la honestidad son muy tentadores cuando el mercado penaliza desempeños simples y contabilidades cándidas. Wall Street señala consistentemente que está cómoda con las mentiras lucrativas.

> Los reportes financieros alterados y lejanos de la honestidad son muy tentadores cuando el mercado penaliza desempeños simples y contabilidades cándidas. Wall Street señala consistentemente que está cómoda con las mentiras lucrativas.

Aunque enfoque la mayoría de mis consejos a las actividades orientadas a los negocios, el cual es el mundo que mejor conozco, estos principios son igualmente aplicables a todo tipo de profesiones y en todos los niveles, sin dejar de mencionar padres, alumnos y gente de buena voluntad en cualquier lugar.

Durante las elecciones presidenciales de Estados Unidos en el 2004 los asuntos morales influenciaron más votos que cualquier otro factor. Una encuesta realizada por Zogby International reveló que el asunto de moral de mayor importancia presente en la mente de los electores no era el aborto ni el matrimonio entre personas del mismo sexo. La avaricia y el materialismo fueron, en primer lugar, los mayores problemas morales citados que enfrenta América hoy. (Muy cerca, en segundo lugar estaban la pobreza y la justicia económica).

Con casi medio siglo comprometido en el mundo de los negocios, lo he visto todo. Y me pregunto, quizás ingenuamente, ¿por qué la mentira, la trampa, la distorsión y el incumplimiento de los tratos se han arraigado tan profundamente en la sociedad? ¿Será que el éxito material en sí es visto ahora como más virtuoso que la forma en que se obtuvo ese éxito? Estoy tentado a creer que el sagrado Sueño Americano es inalcanzable sin recurrir a la maldad y la negligencia moral. Pero eso no tiene sentido pues abrir brechas en la ética es la antítesis del Sueño Americano. Cada soñador es dotado con una oportunidad para participar en el campo de juego de manera justa, honrosa, con trabajo duro e integridad.

A pesar de su selectividad e imperfecciones, el Sueño Americano continúa siendo una fuerza única, poderosa y definitiva. Su atractivo se mantiene fuerte y renovado pero nunca tan delirante como la búsqueda de la ganancia material. Lograr los sueños requiere sudor, coraje, compromiso, talento, integridad, visión, fe y unas cuantas caídas.

La habilidad de empezar un negocio a partir de cero, la oportunidad de liderar esa compañía hasta hacerla grande, la libertad empresarial para apostar la casa en un giro de los dados del mercado y la ocasión para pasar de oficinista a gerente, son la materia prima de la grandeza de la economía americana.

El boom de las compañías basadas en la web de los años 90, aunque últimamente ha caído víctima de la hiperventilación, es la prueba de que los salones de clase, garajes y talleres de sótano atiborrados con garabatos y fantasías, son la Caja de Petri del sueño empresarial.

De muchas maneras, nunca ha sido más fácil hacer dinero —o ignorar los valores morales tradicionales para ganarlo.

De muchas maneras, nunca ha sido más fácil hacer dinero —o ignorar los valores morales tradicionales para ganarlo.

A través de la Historia de esta nación, un cierto tipo de mercado espontáneo y sin restricciones ha producido enormes ejemplos de virtud mediante los cuales es sorprendente ver que tanto héroes como villanos pueblan el paisaje de los negocios. Sin embargo, un nuevo vacío en los valores ha producido cierto grado de decepción, traición e indecencia, que resultan ser tanto descarados como impresionantes.

Muchos de los ejecutivos y empleados de hoy, prefiero pensar que la mayoría, no están involucrados en comportamientos inapropiados. La mayoría de los que he tratado en cuatro décadas de recorrido por el mundo son hombres y mujeres de integridad y decencia, dedicados, que miran con recelo la conducta oscura de la minoría.

También he conocido suficientes ejecutivos que a través de la codicia, arrogancia y devoción malsana por Wall Street, o por una interpretación pervertida del Capitalismo, han escogido el lado oscuro. Tal mentalidad parece estar en crecimiento.

La disculpa de que todo el mundo se escabulle, o de que se debe hacer trampa para mantenerse competitivo, es un espejismo engañoso ante el cual es mejor permanecer firmes. El camino a la perdición es atractivo, resbaladizo y nos lleva cuesta abajo. Y la bancarrota moral es la consecuencia inevitable.

> La disculpa de que todo el mundo se escabulle, o de que se debe hacer trampa para mantenerse competitivo, es un espejismo engañoso ante el cual es mejor permanecer firmes. El camino a la perdición es atractivo, resbaladizo y nos lleva cuesta abajo. Y la bancarrota moral es la consecuencia inevitable.

Lo que se necesita es una vacuna de refuerzo de los principios morales aprendidos en los campos de juego de nuestra niñez. Todos conocemos las instrucciones: sé justo, no hagas trampa, juega duro pero decentemente, comparte, di la verdad y mantén tu palabra. Aunque estas enseñanzas de la infancia parezcan haberse olvidado o perdido en la confusión de la competencia, creo que el asunto consiste en que los valores se pasan por alto según sea la conveniencia. Cualquiera que sea el caso, es tiempo de ponernos en forma ética con un programa comportamental a gran escala.

Los fines financieros nunca justifican los medios antiéticos. El éxito llega a aquellos que tienen habilidad, valor, integridad, decencia, compromiso y generosidad. Hombres y mujeres que mantienen y comparten universalmente sus valores, tienden a alcanzar sus metas, a conocer la felicidad en el hogar y en el trabajo y a encontrar un propósito mayor que simplemente la acumulación de riquezas.

Los buenos chicos realmente pueden y terminan de primeros en la vida.

Los buenos chicos realmente pueden y terminan de primeros en la vida.

Trabajé en la Casa Blanca como secretario y asistente especial de la presidencia durante el primer periodo de la Administración del Presidente Nixon. Yo era el embudo a través del cual pasaban los documentos desde y hacia el escritorio del Presidente. Era también parte del llamado "súper personal" de H. R. Haldeman. Como miembro de ese equipo, Haldeman esperaba que yo fuera incuestionable. Le molestaba si no lo era. Él profesaba lealtad a Nixon y demandaba lo mismo de todo su personal. Vi cómo el poder era abusado y no entré en el juego. Uno nunca debe hacerlo.

En una ocasión Heldeman me pidió hacer algo para "ayudar" al Presidente. Después de todo, estábamos ahí para servirle. Parecía que cierto congresista mojigato estaba cuestionando una de las nominaciones de Nixon para encabezar una agencia. Existían reportes de que el candidato había empleado trabajadores indocumentados en su empresa en California.

Heldeman me solicitó revisar una fábrica que había pertenecido a este congresista para ver si el reporte era verdadero. Tales instalaciones estaban ubicadas cerca a mi planta de producción en Fullerton, California. Haldeman quería que pusiéramos a unos de mis empleados latinos en una operación encubierta en la fábrica en cuestión. Si existía la contratación de inmigrantes indocumentados, la información sería usada, por supuesto, para avergonzar al adversario político.

Una atmósfera amoral había penetrado la Casa Blanca. Las reuniones con Haldeman eran algo más que intentos desesperados de los subordinados por ser tenidos en cuenta. Todos estábamos bajo la lupa con la presión de producir soluciones. Muchos estaban dispuestos a hacer cualquier cosa por una señal de aprobación de Haldeman. En mi caso, esa presión me hizo levantar el teléfono para llamar a mi gerente de planta.

Hay momentos en los que reaccionamos tan rápido que no nos damos tiempo de analizar inmediatamente tanto lo bueno como lo malo de las circunstancias. No lo pensamos. Este fue uno de esos momentos. Le tomó cerca de 15 minutos a mi brújula moral interna hacerse notar y lograr que yo reaccionara al punto que reconocí que esta no era la vía correcta a seguir. Los valores que me habían acompañado desde niño me patearon.

En la mitad de mi conversación, me detuve. "Espera un minuto, Jim" le dije deliberadamente al Gerente General de Huntsman Container, "no hagamos esto. No quiero ser parte de este juego. Olvida que llamé".

Supe instintivamente que estaba equivocado, pero me tomó unos pocos minutos comprenderlo. Le informé a Haldeman que no les pediría a mis empleados espiar ni hacer algo así. Le estaba diciendo no al segundo hombre más poderoso de América. A él no le agradaban ese tipo de respuestas. Las veía como una señal de deslealtad. Esta podía ser mí despedida.

Y así fue. Seis meses después de ese incidente me marché. La práctica de mi independencia resultó ser un ejercicio del buen juicio. Fui el único miembro del Personal de West Wing que no fue llevado ante el Comité del Congreso de Watergate ni ante el Gran Jurado.

❧

El gris no es un sustituto del negro y el blanco. Usted no golpea a las personas y no dice "Lo siento". Cuando usted estrecha manos, ese acto debe tener algún significado. Si alguien está en problemas, usted acude.

Los valores no pueden ser moldeados convenientemente para encajarlos en situaciones particulares. Están grabados de manera indeleble en nuestro ser como impulsos naturales que nunca se desactualizan ni pasan de moda.

Cualquiera podría mofarse y decir que esta visión es una exageración en un mundo complejo y competitivo. La cuestión es simple, ¡y ese es el punto! Lo que aceptamos como comportamiento correcto es un poco más desfigurado que lo que aprendimos cuando niños, antes de que las presiones de hoy nos tentaran a echar por la borda esos valores con el fin de seguir adelante o mejorar las finanzas personales y corporativas.

Aunque los valores de nuestros primeros años, por lo menos hasta algún punto, son basados en la fe, también están abarcados en las leyes naturales. Casi todo el mundo en el planeta comparte el concepto de la bondad humana.

Los seres humanos inherentemente premiamos la honestidad sobre la mentira, aún en los rincones más remotos del globo. Por ejemplo, en el Noreste extremo de la India está ubicado el Estado semiprimitivo de Arunachal Pradesh. Pocos sabemos que existe. De hecho, es un área casi olvidada por Nueva Delhi. Más de 100 tribus tienen sus propias culturas, lenguajes y religiones. Pero ellos comparten múltiples características, incluyendo el hacer de la honestidad un valor absoluto.

Qué irónico y aún más, qué vergonzoso que las naciones más educadas e industrializadas parezcan tener los mayores problemas con los valores universales de integridad, mientras que los grupos semiprimitivos, no.

Michael Josephson, quien lidera el Josephson Institute of Ethics en Marina del Rey, California, dice que sólo basta con ver los programas populares de televisión como *El aprendiz* o *Sobreviviente* para tener la noción de que los ganadores en la vida son aquellos que engañan a otros sin ser atrapados en la mentira. Nadie parece ofendido con eso. No es que las tentaciones sean más grandes hoy, dice Josephson, es que nuestras defensas se han debilitado.

Sea como sea, yo digo que cada uno de nosotros sabe cuándo las reglas básicas de moral se rompen o se tuercen. Nosotros mismos nos alarmamos cuando nos acercamos a un límite ético. Sin importar la razón o la gratificación instantánea que "justifican" pararse sobre esa línea, no nos sentimos bien debido a que fuimos enseñados a ser mejores.

Es este juego tradicional de valores comportamentales el que no nos deja caer en tentación sino el que nos lleva a un éxito duradero. Olvídese de quién llega primero o de último. La gente decente y honorable termina sus carreras y sus propias vidas con gran estilo y con respeto.

> Olvídese de quién llega primero o de último. La gente decente y honorable termina sus carreras y sus propias vidas con gran estilo y con respeto.

El explorador del siglo XX, Ernest Shackleton, cuya legendaria y heroica exploración en Antártica inspiró media docena de libros, vio la vida como un juego en el que debe obrarse de manera justa y con honor:

> *"La vida para mí es el más grandioso de todos los juegos. El peligro radica en tratarla como a un juego trivial, tomado a la ligera y en el que las reglas no importan mucho. Pero las reglas sí desempeñan un papel muy importante. El juego debe ser justo o sino no es un juego. Y el propósito no es ni siquiera ganarlo. El verdadero propósito es ganarlo, pero con honorabilidad y esplendor".*

Los principios que aprendimos cuando niños eran sencillos y justos. Y se mantienen tal cual. Con brújulas de moral programadas en las areneras de los años infantiles podemos navegar a lo largo de carreras con valores que garanticen vidas exitosas, un camino que es bueno para nuestra propia salud mental y moral, sin mencionar el éxito duradero, siempre y cuando estemos dispuestos a revisar nuestra brújula frecuentemente.

"Cuando hombres y mujeres están empezando la vida, frecuentemente se dice que el periodo más importante para ellos es aquel durante el cual se forman sus hábitos. Ese es un periodo muy importante. Pero esa etapa durante la cual los jóvenes forman y adoptan sus ideales es más importante aún. El ideal con el cual usted mide las cosas determina la naturaleza, según su grado de compromiso, de todo lo que usted logre".
—Henry Ward Beecher

"No es nuestra abundancia, ni nuestro sistema de plomería, ni nuestras autopistas obstruidas, lo que captan la atención de los demás. Lo realmente atrayente es el esquema de valores sobre el cual hemos construimos nuestra sociedad".
—Sen. J. William Fulbright

CAPÍTULO DOS

Revise su brújula moral

Sabemos perfectamente qué está bien y qué está mal

Nadie crece en un vacío moral. Toda persona mentalmente balanceada reconoce el bien del mal. Sin importar si nuestras creencias están basadas en la fe cristiana, judía, budista, musulmana, hindú, unitaria, de la nueva era, de libre pensamiento o atea, todos fuimos instruidos desde pequeños a no mentir, no robar, no hacer trampa, no ser deliberadamente rudos, y sabemos reconocer qué nos trae consecuencias buenas o malas.

No existe aquello de ser un agnóstico moral. Un individuo amoral es alguien moral que temporalmente y de manera creativa se desconecta de sus valores. Cada uno de nosotros posee un localizador satelital moral, una brújula o una conciencia programada por padres, profesores, entrenadores, clero, abuelos, tíos y tías, líderes scouts, amigos, y compañeros. Viene incluida y nos ayuda a diferenciar entre los buenos y los malos caminos hasta el día de nuestra muerte.

> No existe aquello de ser un agnóstico moral. Un individuo amoral es alguien moral que temporalmente y de manera creativa se desconecta de sus valores.

Cuando yo tenía 10 años, a algunas cuadras de nuestro hogar estaba Edwards Market, una de esas casas antiguas con una tienda de abarrotes en el frente de la casa y la vivienda del propietario en la parte de atrás. Sólo tenía 200 ó 300 metros cuadrados, pero a mi edad el lugar parecía un supermercado gigante. En esa época yo ganaba cerca de $0,50 centavos por día vendiendo y entregando el periódico local.

Un día entré a la tienda mientras hacía mi ruta, no parecía haber nadie alrededor. Hacía poco habían salido al mercado los sándwiches de helado. Hacía calor y quise probar uno así que me acerqué al pequeño congelador y agarré una barra de helado. Lo deslicé entre mi bolsillo. Momentos más tarde, la Sra. Edwards apareció preguntándome si podía ayudarme.

"No, gracias", le respondí amablemente y fui hacia la puerta. Justo antes de que se cerrara, la escuché decirme: "Jon, ¿vas a pagar por ese sándwich de helado?". Avergonzado, me di la vuelta y tímidamente caminé hacia el congelador en donde mi temblorosa mano devolvió el sándwich a su lugar. La Sra. Edwards nunca volvió a decir una palabra más al respecto.

Esa era una lección necesaria para un joven niño aventurero, una que no he olvidado aun 60 años más tarde. No fue durante el momento de estar expuesto que de repente me di cuenta de mi error. Lo supe en la segunda metida de mano al congelador, tal como lo sabría hoy si hago un truco similar pero más sofisticado en una transacción de negocios. Cada uno de nosotros fue enseñado a que no debemos tomar lo que no nos pertenece.

Algunas clases de comportamiento nos tientan a desconectarnos de nuestra brújula moral o conciencia: la racionalización atenúa las luces de la precaución, la arrogancia desdibuja los límites, la desesperación sobrepasa el buen sentido. Cualquiera que sea la razón que nos nubla, la luz indicadora del bien o mal continúa alumbrando incesantemente. Puede que no preguntemos, pero la brújula nos lo dice.

> Cualquiera que sea la razón que nos nubla, la luz indicadora del bien o mal continúa alumbrando incesantemente. Puede que no preguntemos, pero la brújula nos lo dice.

En algún punto la sociedad de hoy tolera actividades muy cuestionables dificultando a las generaciones jóvenes mantenerse firmes de manera consistente con respecto al bien y el mal. Con esta línea de pensamiento surge hoy la duda acerca del hecho de si cuando las nuevas generaciones de aprendices abandonan su salón de clases, sus valores están abiertos a negociación.

Estoy al tanto de las encuestas que muestran que las generaciones más antiguas ven a las generaciones más jóvenes menos fundamentadas sobre la ética, pero no estoy del todo de acuerdo con esa opinión. Ciertamente, la sociedad es más permisiva que cuando yo era un niño, pero acaso ¿alguien hoy perdona el robo? Algunos adolescentes modernos pueden aceptarlo, pero ¿qué estudiante no considera que hacer trampa está intrínsecamente mal, sin importar cuántos de sus amigos lo hacen? ¿Acepta la sociedad los libros de contabilidad alterados, la malversación, el fraude, las regalías extravagantes para los ejecutivos corporativos? Las respuestas, por supuesto, son no.

Básicamente, el mal comportamiento es considerado malo tanto hoy como hace 100 años, aunque siento que la atmósfera actual produce más racionalizaciones creativas y sofisticadas para tales malos actos. Es por esto que vale la pena prestarle atención al consejo de George Washington, un hombre renombrado por su integridad: "Trabaja por mantener viva en tu pecho la pequeña chispa de fuego celestial llamada conciencia".

Los seres humanos somos la única especie sobre la tierra que experimentamos culpa. Nunca vemos a nuestras mascotas, perros, gatos o canarios actuando con mortificación por haber comido demasiado o por haber olvidado sus modales. (Y Dios sabe que algunos de ellos abusan). Los seres humanos somos únicos por nuestra habilidad de reconocer los caminos rectos de los decentes. Y cuando escogemos una ruta equivocada, nos retorcemos aunque sea interiormente.

La aguja de la brújula personal apunta a la verdad. Conceptualmente, las rutas éticas son evidentes para las personas razonables.

❧

La ley no siempre nos exige hacer lo que está bien y es apropiado. La decencia y la generosidad, por tanto, no son un mandato legal. La ética pura es opcional.

> La ley no siempre nos exige hacer lo que está bien y es apropiado. La decencia y la generosidad, por tanto, no son un mandato legal. La ética pura es opcional.

Las leyes definen los caminos a los que *debemos* adherirnos o abolir legalmente. La ética consiste en unos estándares de conducta que debemos seguir. Existe una sobreposición de las dos, pero el comportamiento virtuoso se deja a elección individual. Todo el entrenamiento profesional del mundo no garantiza un liderazgo moral. A diferencia de las leyes, la virtud no puede ser impuesta políticamente, está ahí para que los burócratas la apliquen pero eso no los detiene de seguir intentando lo contrario. El Congreso considera que el mundo corporativo de hoy es tan desafiante cuando se trata de la ética que promulgó el Acta de Sarbanes-Oxley en un intento de ganar credibilidad para el mercado. Finalmente, el respeto, el civismo y la integridad son valores con implicaciones individuales.

El comportamiento ético es para los negocios lo que el deporte es para las competencias atléticas. Fuimos enseñados a jugar siguiendo las reglas, a ser justos y a prepararnos mediante entrenamiento. El libro de reglas no siempre especificó que tomar atajos estuviera prohibido. Simplemente cada competidor decidió libremente correr alrededor de la pista en óvalo sin atravesar el campo.

Mis nietos tienen un club especial llamado El Gran, Gran, Gran Club de Chicos (El Club G3). Los miembros deben tener seis años como mínimo para asistir a las reuniones. No se permite quedarse dormido, orinarse en los pantalones ni gatear bajo la mesa, entre otras prohibiciones. Ellos establecieron sus propias reglas. Sorprendentemente, el club es muy ordenado y esto se debe a que los padres no están presentes. Es interesante ver los estándares establecidos por ellos mismos. Aquí un par de ejemplos —con los arreglos literarios del abuelo:

◈ Haz lo que tengas que hacer cuando te lo indiquen

◈ La amabilidad y honestidad determinan el corazón y el carácter

◈ Nunca digas mentiras

◈ Cúbrete la boca cuando tosas o estornudes

Los niños generalmente conocen el comportamiento adecuado, aún si no lo demuestran siempre. Sus brújulas morales aún están en desarrollo, en trabajo continuo. Ellos son muy jóvenes para saber que pueden negociar con su conciencia por una calificación crediticia más alta. Ellos instintivamente conocen que una conciencia tranquila es la mejor compañía. Nunca han oído de Sófocles pero entienden su mensaje: "No hay un testigo tan terrible ni un acusador tan poderoso como la conciencia".

¿Alguna vez ha notado cómo los pequeños exhiben poca malicia? ¿Qué tan honestos son con sus observaciones? ¿Cómo compiten suavemente cuando los adultos no están presentes? Seguro, siempre existen las burlas, las peleas y el egoísmo, pero los niños generalmente lo solucionan sin necesidad de un libro de normas de 300 páginas o una Corte legal. Los juegos de arenera se practican sin árbitros, relojes o límites definidos. Aunque hay momentos confusos y sin límites muy claros, las partes saben llegar a un acuerdo cuando alguien se sale de los términos establecidos. Cuando los niños son desconsiderados, es más un caso de reacción espontánea que una maldad calculada.

Como norma, el protocolo para el juego requiere que le demos la mano a los oponentes aplacados, que compartamos los juguetes, que juguemos justamente, expresiones de gratitud absolutas y que digamos *por favor, gracias, buen tiro* sin dudar. Parafraseando a Sócrates, las conciencias claras inspiran armonía.

En ocasiones, algunos estudiantes de mi clase de biología de décimo grado escribían las respuestas para una evaluación en la palma de sus manos o en los puños de sus camisas. No muchos lo hacían porque todos sabíamos que hacer trampa está mal. Adicional ante el miedo de ser atrapados la mayoría de estudiantes anhelaban el respeto tanto como las buenas calificaciones. Si alguna vez alguien lo vio haciendo trampa, usted jamás fue elegido como representante de los estudiantes o respetado en el campo de juego. De pronto, esto simplemente era parte de la inocencia de los años 50, pero los estudiantes del siglo XXI también saben que hacer trampa está mal, aunque muestren más indiferencia hacia esta transgresión que las generaciones pasadas.

Las personas generalmente ofrecen como excusa por mentir, hacer trampa o fraude, que fueron presionadas a hacerlo por las altas expectativas o que "todo el mundo lo hace". Algunos sostienen que es la única manera de mantenerse. Tales excusas suenan mejor que las razones reales por las que decidieron tomar el camino inadecuado: arrogancia, deseos de poder, avaricia y falta de pantalones, las cuales son en su totalidad aflicciones por igualdad de oportunidades. El estatus económico, la esfera de influencias, la educación religiosa o la tendencia política, no parecen ser factores que determinen a quién van a terminar por atrapar estos virus.

Cada razón o excusa contiene un argumento falso que finalmente termina siendo una advertencia de improcedencia. Tener éxito o llegar a la cima a toda costa es por definición una meta inmoral. Los ingredientes para el éxito a largo plazo: valor, visión, capacidad, riesgo, oportunidad, sudor, sacrificio, habilidad, disciplina y honestidad, nunca cambian. Y todos somos conscientes de eso.

> Tener éxito o llegar a la cima a toda costa es por definición una meta inmoral.

Sin embargo, en el ambiente actual en el cual el ganador se lleva todo, los atajos parecen conducir al éxito, al menos inicialmente se ven atractivos y la mentira a menudo aparenta ser muy lucrativa. Dicho esto, los estafadores, los tramposos, los adictos que ayudan a aumentar las ganancias de las drogas, los artistas mediocres y similares, nunca han prevalecido por mucho tiempo. Y cuando llega su caída, esta es rápida, dolorosa, vergonzosa y duradera.

Ya sea exagerando currículos o ingresos, plagiando o especulando, mujereando o mintiendo, las personas siempre tienden a justificar sus conductas antiéticas cuando su trasgresión es descubierta. Los empleados de Enron así lo comprendieron desde el principio, y lo mismo los de Tyco Brass, pero el camino incorrecto nunca es adecuado para lograr el éxito.

Los valores nos equipan con amplias alas de ética cuyo despliegue es tan crítico en las salas de juntas corporativas de aguas tormentosas como lo fue en los salones de clase de ayer.

"Porque así como la buena moral debe mantenerse, también necesita de leyes, pero estas, para ser respetadas, necesitan de la buena moral".
—Maquiavelo

"El secreto de la vida es la honestidad y las negociaciones justas. Si usted puede fingir eso, ya encontró el secreto".
—Groucho Marx

"El americanismo significa valor, honor, justicia, verdad, sinceridad y audacia, virtudes que han hecho a América. Lo que la destruirá es la prosperidad a cualquier precio, el amor por la vida fácil y la teoría de hacerse rico rápidamente".
—Teodoro Roosevelt

CAPÍTULO TRES

Siga las reglas

Compita con fiereza y justicia pero no coja atajos

L as normas que honremos y las que ignoremos determinan el carácter individual, y es el carácter el que determina qué tanto le permitiremos a nuestro sistema de valores afectar nuestra vida.

En la edad temprana, cuando fuimos instruidos con propósito moral por aquellos que nos influenciaron, aprendimos qué tiene valor y qué no. La Regla de Oro, los buenos modales en la mesa, el respeto hacia los demás, ser buenos competidores, decir la verdad, —para no mencionar los códigos de la escuela, de los clubes y de las iglesias—, no coger atajos, comer todo de nuestro plato, respetar, ayudar a quienes están en necesidad y compartir, se convirtieron en la base de nuestro carácter.

El carácter está en su mayoría determinado por la integridad y el valor. Su reputación es como los demás lo perciban a usted. El carácter es la forma en que usted actúa cuando nadie lo está observando.

Estas características o la ausencia de ellas son la base de las decisiones morales de la vida. Una vez se toma la vía de la deshonestidad, la desconfianza es el sello de las negociaciones y asociaciones futuras. El filosofo escocés Francis Hutcheson, del siglo XVIII, afirmó lo siguiente: "Sin una adhesión firme a la verdad, se perderá toda la confianza en la comunicación".

Los hombres y mujeres de negocios no ponen su integridad en peligro conduciendo negocios difíciles, negociando intensamente ni buscando ferozmente cada posible ventaja. Las negociaciones deben ser justas y honestas. De esa manera usted nunca tendrá que recordar lo que dijo el día anterior.

> Las negociaciones deben ser justas y honestas. De esa manera usted nunca tendrá que recordar lo que dijo el día anterior.

Yo hago ofertas de negocios pero simplemente como un asunto de principios, ya sea que se trate de una compra de $1 dólar o de una adquisición de $1 billón de dólares. Negociar me emociona, pero nunca deben obtenerse ganancias a expensas de una tergiversación ni de un soborno. Además de estar moralmente mal, esta versión de engaño le quita la alegría al cierre de un acuerdo.

Los sobornos y las estafas pueden producir ventajas temporales pero esa práctica trae una enorme etiqueta de precio. Abarata la forma en que se hace un negocio, enriquece temporalmente a unos pocos individuos corruptos y hace burla de las reglas del juego.

En 1980, Huntsman Chemical abrió una planta en Tailandia. En esta negociación Mitsubishi era nuestro socio, por lo cual llamamos al negocio HMT. Con cerca de $30 millones de dólares invertidos, HMT anunció la construcción de una segunda planta. Yo tenía una relación de trabajo con el Ministro de finanzas del país, quien nunca perdió la oportunidad para sugerir que nuestra relación podía ser más cercana.

Una noche fui a su casa a cenar y allí me mostró 19 Cadillacs nuevos parqueados en su garaje, los cuales él describió como "regalos" de las compañías extranjeras. Yo le expliqué que la Compañía Huntsman no se comprometía en esa clase de cosas, hecho al cual él respondió con una sonrisa.

Varios meses después recibí una llamada del ejecutivo de Mitsubishi responsable en Tokio por las operaciones de

Tailandia. Él afirmó que HTM debía pagar por varios sobornos a oficiales del gobierno anualmente para hacer negocios y que nuestra participación en esta obligación era de $250,000 dólares para ese año.

Yo le dije que no teníamos la intención de pagar ni siquiera cinco centavos a lo que no era nada más que una extorsión. Él me explicó que todas las compañías en Tailandia pagan esos "honorarios" con el fin de que se les garantice su acceso a las zonas industriales. Finalmente resultó que sin nuestro conocimiento Mitsubishi había estado pagando nuestra parte hasta este punto como el costo de hacer negocios, pero había decidido que era hora de que Huntsman Chemical pagara su parte.

Al siguiente día le informé a Mitsubishi que estábamos vendiendo nuestra parte. Después de fallar en el intento de hablar conmigo al respecto, Mitsubishi pagó un precio con descuento por nuestra parte en HTM. Perdimos alrededor de $3 millones de dólares a corto plazo. A largo plazo, fue una bendición disfrazada. Cuando llegó la crisis económica asiática por varios años, la industria completa se vino abajo.

En América y en el Oeste de Europa proclamamos altos estándares cuando se trata de cosas tales como el chantaje pero no siempre practicamos lo que decimos. Las decisiones éticas son incómodas y no rentables a corto plazo, pero después que nuestro rechazo a pagar "honorarios" en Tailandia fue conocido, nunca tuvimos ese tipo de problemas en esa parte del mundo. La palabra fue dicha: "Huntsman simplemente dice no". Y así también otras compañías.

Una vez que usted compromete sus valores accediendo a sobornos es difícil volver a restablecer su reputación y credibilidad. Por lo tanto escoja cuidadosamente sus socios, ya sean personas, compañías o naciones.

Tengo reputación de ser negociador rudo pero franco. Negocio duro e intensamente pero siempre desde el piso de arriba. Debido a que se percibe que generalmente termino en el mejor lado del negocio, tuve un gerente operativo que se rehusó a negociar una fusión conmigo porque él tuvo miedo de ser percibido en la industria como el que "perdió sus pantalones" o el que vendió en el momento equivocado al precio equivocado. Nunca alguien se ha rehusado a negociar conmigo por falta de confianza.

La competencia es parte del espíritu emprendedor y del mercado libre. Hacer trampa y mentir, no. Si la naturaleza inmoral de hacer trampa y mentir no le molestan en particular, considere esto: eventualmente estas lo llevaran a la ruina.

¿Recuerda el viejo coro: "Los ganadores nunca hacen trampa: los tramposos nunca ganan"? ¿Y recuerda que cuando éramos niños reprendíamos a quienes creíamos que no estaban diciendo la verdad con: *"Mentiroso, mentiroso, sus pantalones son de fuego"*? Esas burlas infantiles se mantienen verdaderas hoy. Los atajos morales siempre tienden a quedar en evidencia.

En la religión Shinto existe esta enseñanza: "Si usted se confabula para engañar a la gente, usted puede lograrlo por un tiempo y ganancia, pero usted será visitado sin duda por el castigo divino". Yo me apresuro a agregar que el juicio temporal también espera. Siempre hay una consecuencia por el comportamiento indecente.

Considere esta parábola: en un vuelo nocturno sobre el océano el piloto anuncia buenas y malas noticias. "Las malas noticias son que hemos perdido comunicación por radio, nuestro radar no funciona y las nubes bloquean nuestra visualización de las estrellas. La buena noticia es que hay un fuerte viento de cola y el tiempo está excelente".

෨

Existen muchas profesiones en las que podemos encontrar ejemplos de vacío en cuanto a los valores, pero nada es más evidente que Wall Street, en donde el espíritu reinante consiste en que entre más usted engañe a la contraparte, más dinero ganará. Nadie más que Abraham Lincoln nos recordó: "No hay un lugar en donde será más difícil encontrar un hombre honrado que en Wall Street en la Ciudad de Nueva York".

> Existen muchas profesiones en las que podemos encontrar ejemplos de vacío en valores, pero nada es más evidente que en Wall Street.

He pasado cuatro décadas haciendo negocios en Wall Street y he encontrado unos pocos individuos totalmente honestos. Aquellos que son confiables y honorables son escasos pero son profesionales maravillosos. Algunos de mis amigos más cercanos se encuentran en este pequeño círculo, ya sea que estén en Nueva York o en Salt Lake. Aquellos que escogen despistar a otros no siempre encajan en la clase de corrupción que envía gente a prisión. Es más un asunto de deshonestidad intelectual y falta de ética personal. La compensación ha remplazado a la ética como gobernante principal. Wall Street tiene dos objetivos: ¿Cuánto dinero puedo hacer? Y ¿Qué tan rápido puedo hacerlo? Los mercados y los valores tradicionales no siempre se mezclan bien.

Wall Street piensa que no hay nada de malo en este tipo de comportamiento debido a que todo el mundo lo hace, pero la ausencia de sentido de integridad también produce una ausencia de respeto. Worldcom, Tyco, Enron y otras compañías gigantes han tenido líderes que han fallado en el juego limpio.

Debido a que ellos hicieron trampa, fueron ellos quienes perdieron. La acumulación de poder y riqueza se convirtió en el objetivo de sus ejecutivos. Ellos olvidaron la Regla de Oro de la integridad: la confianza es mayor elogio que el afecto. Con la integridad viene el respeto.

Los verdaderos ganadores nunca se afanan por llegar al destino por rutas clandestinas o comprometedoras. Ellos lo hacen a la manera antigua, con talento trabajo duro, justicia, y honestidad. Está bien hacer tratos difíciles pero conduciendo los negocios con ambas manos sobre la mesa y las mangas enrolladas.

> Está bien hacer tratos difíciles, pero conduciendo los negocios con ambas manos sobre la mesa y las mangas enrolladas.

Nunca tergiverse o tome ventaja injusta de alguien. De esa manera usted cuenta con hacer segundos y terceros negocios con las mismas compañías después de cerrar el primer trato satisfactoriamente. Tenga como meta que ambos lados sientan que lograron sus respectivos objetivos.

En 1999, me encontraba en negociaciones arduas con Charles Miller Smith, el Presidente y Director Operativo de Imperial Chemical Industries en Gran Bretaña, una de las compañías más grandes de la nación. Queríamos adquirir algunas de las divisiones químicas de ICI. Sería el negocio más grande de mi vida, una fusión que doblaría en tamaño a Huntsman Corp. Era una transacción complicada con mucha presión en cada lado. Charles necesitaba obtener un buen precio para reducir la deuda de ICI; yo tenía una cantidad limitada de capital para la adquisición.

Durante las largas negociaciones, la esposa de Charles estaba sufriendo de un cáncer terminal. Hacia el final de las negociaciones, él se tornó emocionalmente distraído. Cuando su esposa murió, estaba tan perturbado como es posible imaginar. Todavía no completábamos nuestra negociación.

Yo decidí que los puntos finales del último 20% del trato se quedarían como estaban propuestos. Pude haberme quedado con otros $200 millones de dólares más por ese negocio, pero habría sido a expensas del estado emocional de Charles. El acuerdo fue suficientemente bueno. Cada parte tuvo un ganador y yo hice un amigo para toda la vida.

∂

Cada familia, hogar y salón de clase tienen sus estándares. Existe una pequeña confusión acerca de los límites. Incluso cuando uno argumenta no entender las reglas al ser atrapado rompiéndolas, reconoce que ha cometido una transgresión. ¿Pero qué pasa cuando algunos de esos niños se convierten en adultos? ¿Por qué estas normas del hogar y del salón de clase son a veces ignoradas? ¿Por qué el comportamiento inapropiado es racionalizado e inclusive justificado cuando en el fondo sabemos la verdad? Alguna fuerza siniestra debe aparecer al final de la adolescencia que hace que se convierta en aceptable el hecho de eludir los estándares tradicionales.

Cuando era adolescente mi padre me ordenaba estar en casa a las 8:00 en punto. Él no decía "a.m." ni "p.m.". Yo sabía que significaba a las 8:00 de la noche. No había reglamento que detallara lo que él quería decir cuando decía que no me quería ver conduciendo el carro. Aunque técnicamente él sólo decía que "yo" no debía manejar el Ford cupe 1936, él también se estaba refiriendo a mis amigos. (Un abogado habría testificado que, técnicamente, sólo "yo" estaba restringido. A menos que mi padre estipulara específicamente que mi amigo o qué clase de personas estaban incluidas en tal prohibición, cualquier persona diferente a mí estaba permitida legalmente a conducir. Pero yo sabía a lo que mi padre se refería).

A medida que crecemos, nuestra habilidad para cortar caminos podría hacer que un contador de historias se muriera de la envidia. Culpamos a las situaciones o a los demás. El perro se comió la tarea que no hicimos. Racionalizamos que el comportamiento inmoral es una práctica aceptable. Alejarnos de la responsabilidad se nos ha convertido en un arte.

De hecho, usamos las mismas excusas débiles que usábamos cuando niños y nos atrapaban haciendo algo inapropiado, algo que sabíamos que no podíamos hacer. Los adultos de alguna manera hemos creído que somos más convincentes. No lo somos. El "todo el mundo lo hace" no sirvió cuando éramos adolescentes ni tampoco ahora. Es una manera de escabullirse y triunfar fácilmente. No todo el mundo lo hace. Y aún si así fuera, sigue estando mal y lo sabemos.

Ahora, hay una excusa vieja y dócil: "El diablo me hizo hacerlo". El diablo nunca nos obliga a hacer algo. Sea honesto. Las acciones inadecuadas a menudo parecen ser vías fáciles que no requieren valor, o aparentar ser temporalmente ventajosas.

Si tan sólo Richard Nixon hubiese admitido frontalmente sus errores y hubiera aceptado la responsabilidad por la conducta inapropiada de sus subordinados, algo que bien en el fondo él sabía que estaba mal, el público americano lo habría perdonado. Con un sentido de arrepentimiento, él pudo haber creado un punto de vista presidencial.

El diablo nunca nos obliga a hacer algo. Sea honesto. Las acciones inadecuadas a menudo parecen ser vías fáciles que no requieren valor, o aparentan ser temporalmente ventajosas.

☙

Los niños observan a los mayores y así aprenden cómo actuar. Los empleados observan a los supervisores. Los ciudadanos a sus líderes políticos. Si estos líderes y modelos establecen malos ejemplos, sus seguidores harán lo mismo. Es así de simple.

No existen los atajos morales en el juego de los negocios ni en el juego de la vida. Existen básicamente tres clases de individuos: los no exitosos, los temporalmente exitosos, y aquellos que se convierten y se mantienen exitosos. La diferencia es el carácter. Estoy convencido.

"La gente ve los éxitos que algunos hombres han logrado y de alguna manera estos parecen ser fáciles. Pero ese es un concepto muy alejado de los hechos. Fallar es fácil. El éxito siempre es difícil. Un hombre puede fallar fácilmente; así como puede tener éxito sólo por el hecho de pagar por todo lo que tiene y todo lo que es".
—Henry Ford

"Un barco en el puerto está seguro, pero no es para eso que están hechos los barcos".
—William Shedd

CAPÍTULO CUATRO

Dé ejemplo

Riesgo, Responsabilidad, Rectitud, las tres "R"s del liderazgo

Siempre he amado el pasaje bíblico: "Pues todo lo que el hombre sembrare, eso también segará". Describe clara y concisamente la responsabilidad del liderazgo y da justo en el meollo de asunto. La lección es clara: el cultivo cuidadoso vale la pena. Padres y empleados que nutren, alaban, y cuando es necesario, disciplinan justamente, experimentan vidas más felices y exitosas para ellos mismos y para quienes tienen a su cargo.

¿Nada nuevo? Estoy de acuerdo, pero necesitamos recordatorios periódicos de este punto para ayudarnos a sobrepasar los imprevistos o los obstáculos incontrolables que nublan las conciencias y los resultados finales.

En el área de mercado también debemos hacer todo lo que esté a nuestro alcance para recoger ganancias abundantes, aunque en ocasiones debido a circunstancias de cálculos errados que se hicieron de buena fe, malevolencia, mercados negativos o actos de la naturaleza, perdemos cosechas enteras que pudieron ser productivas. Mis años de juventud trabajados en una finca productora de papa me enseñaron cómo una helada temprana o lluvias fuertes suelen afectar adversamente la cosecha si importar qué tanto cuidado hayamos tenido del cultivo.

Nuestra indecisión, así como la de los demás, también causa daños. Aunque contemos con una visión inspiradora, con las más sanas intenciones y dedicación ejemplar, así como con las mejores habilidades y la más ética de las conductas, el éxito material nunca está garantizado. Lo que importa es que la persona a cargo acepte la responsabilidad por el resultado, sea este bueno, malo o feo. Rodéese de la mejor gente disponible y luego acepte la responsabilidad.

Como oficial a bordo del U.S.S. *Calvert* en el mar del Sur de China en 1960, aprendí de primera mano esta lección. Mi oficial al mando, el Capitán Richard Collum, era un Veterano de la Segunda Guerra Mundial a quien admiré gratamente. En una ocasión, íbamos a una reunión de naves de nuestro escuadrón con barcos navales de otras siete naciones. El *Calvert* cargaba el almirante, o en lenguaje naval, la bandera. Cada barco seguía al líder con la bandera.

Eran las 4:00 de la mañana y yo era el oficial de cubierta. A mis 23 años de edad, como Teniente apenas principiante, tenía mucho por aprender en la vida, aun cuando tenía la responsabilidad de dirigir la formación de las naves durante esas primeras horas de la mañana.

A las 4:35 ordené al timonel: "Vaya derecho a la ruta 335". El timonel gritó la confirmación de vuelta, como es tradicional en la naval: "Yendo derecho a la ruta 355".

Pensé que todo estaba bien, pero no tuve clara su respuesta errada. Él pensó que yo había ordenado "355" grados en lugar de "335." Cuando hicimos el giro incorrecto, las demás naves nos siguieron, así que estábamos fuera del curso por 20 grados.

Algunos de los barcos reconocieron el error y retornaron al curso correcto. Otros no. La formación estaba en un desorden peligroso. Evitar las colisiones causó un enredo masivo y todo fue mi culpa. Afortunadamente no hubo daños, excepto para mi autoconfianza. Tuve un sentimiento de ruina y pérdida. ¿Cómo puede uno dar una orden al timonel, escucharla de su voz siendo una equivocación y no captar la discrepancia? Si precisamente repetir la orden es la luz roja titilante para alertarnos de tales malentendidos.

Enterado de la debacle, el Capitán Collum llegó corriendo al puente en su bata de baño e inmediatamente tomó el control, relevando al joven Teniente avergonzado. Yo estaba devastado. Les tomó varias horas a los 42 barcos de nuestro escuadrón para realinearse. Más tarde, cuando la marea estaba calmada y el orden había retornado, el Capitán me llamó a su cabina.

"*Teniente* Huntsman", dijo, "usted aprendió una lección valiosa hoy".

"No, Señor" respondí, "tengo un gran sentimiento de vergüenza y lo defraudé a usted y a mis compañeros".

"Al contrario, Teniente, ahora usted jamás permitirá que un acto como este ocurra y estará en frente de cada orden que usted dé. Esta será una experiencia de aprendizaje para toda su vida. Yo soy el capitán del barco. Todo lo que suceda es mi responsabilidad. Usted pudo no haber captado el error del timonel, pero yo soy responsable por eso. La Naval pudo haberme llevado ante una Corte Marcial si alguna de las naves hubieran colisionado durante ese ejercicio".

Aprendí en ese momento lo que significa ser un líder. Aunque el oficial comandante estaba dormido, mis acciones fueron sus acciones. También aprendí otra lección: al asegurarle a un joven teniente que aún cuenta con la confianza del capitán, el teniente recibió esperanza para el futuro.

Repetí ese escenario (el del capitán, no el del teniente) muchas veces como cabeza de Huntsman Corp. Reprobé faltas de una manera que mantuviera intacta la autoconfianza y el compromiso a hacerlo mejor. Como Gerente Operativo, acepté la responsabilidad de nuestras plantas, aun si algunas de ellas están al otro lado del mundo. Los gerentes operativos están encargados por sus directores de garantizar la buena conducta y la seguridad de los empleados de la compañía.

❧

El mercado tiene muchos líderes —por lo menos en título. Sin embargo me temo que líderes, en el verdadero sentido de la palabra, no hay en abundancia. Los altos ejecutivos de algunos negocios no tienen ni la más mínima idea de la cantidad de expectativas de los inversionistas. Como resultado de ese estilo de "liderazgo", los líderes se ubican simplemente en su posición y son quienes se encuentran en la parte más alta del organigrama corporativo, cercanos al trabajo principal. Pero el liderazgo real demanda carácter.

El liderazgo se encuentra en todas los sectores de la sociedad: negocios, político, familiar, deportivo, religioso, de medios, intelectual, entretenimiento, académico, de las artes y otros. En todos los casos el liderazgo no subsiste en el vacío. Por definición, el líder requiere de otros, de aquellos a ser guiados y que raramente constituyen un grupo dócil. Los humanos, por naturaleza, no sabemos manejarnos correctamente.

El liderazgo efectivo y dentro de los parámetros de respeto se ejerce de acuerdo mutuo. El liderazgo demandante recibe rechazos. Liderazgo no significa tener dominio sobre otros. Más bien es la mezcla de características que ganan respeto, resultados y un seguimiento continuo.

> El liderazgo efectivo y dentro de los parámetros de respeto se ejerce de acuerdo mutuo. El liderazgo demandante recibe rechazos.

⚭

El liderazgo requiere de decisión y a eso se debe que sea absolutamente imprescindible que los líderes conozcan los hechos. Para asegurar que la información crucial y los consejos sólidos les lleguen, los líderes deben rodearse de asesores capaces, fuertes y competentes, a quienes es necesario escuchar.

Desafortunadamente, muchas compañías y organizaciones son dirigidas por ejecutivos que temen a los subordinados audaces, cándidos y talentosos, así que buscan sólo subordinados complacientes. Esta clase de líder fomenta la adulación, no el liderazgo. El gran industrial Henry J. Kaiser no tenía tiempo para mensajeros sin carácter. "Tráiganme malas noticias", requería él de sus subordinados. "Las buenas noticias me debilitan".

También es importante que los altos líderes sean expertos. En tiempos de crisis, la experiencia cuenta. En situaciones de combate los soldados prefieren seguir a los veteranos en batallas que a los tenientes nuevos con actitudes de principiantes del Cuerpo de Oficiales de Reserva en Formación. Esta verdad no es diferente en otras áreas de la vida.

Los líderes deben mostrar afecto y preocupación por aquellos que están bajo su responsabilidad. Aquellos que rinden lealtad a un líder quieren saber que son apreciados. Y sea que los líderes se den o no cuenta, si están ejerciendo su función ejecutiva únicamente por las cuatro "P"s: pago, privilegio, poder y prestigio, su liderazgo va camino al fracaso.

El liderazgo se trata de tomar riesgos. Si su vida está libre de fallas, usted no es un líder. No tome riesgos y estará arriesgándose más que nunca. Sin dolor no hay ganancia. Los líderes son llamados a entrar en la arena en donde el éxito no está cubierto por garantías, donde fallar en público es una posibilidad real. Ese es un escenario tenebroso.

Los líderes son llamados a entrar en la arena en donde el éxito no está cubierto por garantías, donde fallar en público es una posibilidad real.

En una encuesta realizada en el 2004 se encontró que 3 de 5 altos ejecutivos de las 1.000 compañías de la revista *Fortune* no tenían deseos de convertirse en gerentes operativos. Esa cifra es el doble comparada con la primera encuesta realizada en el 2001. ¿Por qué? Por los riesgos.

La posibilidad de cometer errores se incrementa dramáticamente en la posición de liderazgo, sin importa si el reto proviene de la naturaleza o del nivel de liderazgo, pero no haber fallado nunca, es nunca haber dirigido.

Para tener éxito debemos arriesgarnos a nuevas cosas. Las tasas de éxito nunca estuvieron en consideración cuando éramos niños y estábamos aprendiendo dudosos a dar nuestros primeros pasos, cuando aprendimos a usar el baño, cuando intentamos por primera vez coger correctamente la cuchara y llevarla a la boca abierta, ni tampoco cuando decidimos que era tiempo de amarrarnos nosotros mismos los zapatos. Cuando niños, percibimos que la torpeza viene con los intentos. Pero las fallas temporales nunca se interpusieron en el camino de esas grandiosas aventuras de la edad temprana.

Los errores no son el problema. La forma en que uno identifica y corrige los errores, la manera en que convierte la falla en una nueva oportunidad y cómo aprende de esos errores, determinan la calidad y durabilidad de los líderes. El error de Nixon en el caso Watergate no fue tanto el robo como lo fue la falla en reconocer errores, en aceptar la responsabilidad por ellos y en pedir disculpas como ameritaba la ocasión.

Aquellos que prefieren burlarse y ridiculizar desde la tribuna mientras los jugadores se equivocan o tropiezan, no entienden que los errores son transformados frecuentemente en experiencias significativas y exitosas. Tenga en mente el viejo adagio: "El buen juicio viene de la experiencia, y la experiencia viene de un juicio pobre".

Recuerdo una gran afirmación del Presidente Teddy Roosevelt en la cual él pone en perspectiva al participante derrotado:

"No es el crítico quien cuenta; ni cuenta aquel que señala al hombre fuerte que tropieza; tampoco cuenta el hacedor de buenas obras que hace alarde de saber hacerlas mejor. El crédito pertenece al hombre que está en la arena, cuya cara está estropeada por el polvo, el sudor y la sangre; quien se esfuerza valientemente, quien se equivoca y se queda corto una y otra vez, porque no hay esfuerzo sin error y defecto. Cuenta realmente aquel que se esfuerza para hacer las buenas obras, quien se enfrenta a la dificultad con gran entusiasmo y la mayor devoción, quien se entrega por una causa valiosa, quien al final conoce mejor el triunfo de un gran logro, y quien, en el peor de los casos, si falla, falla arriesgándose mucho para que su lugar no sea con aquellas almas frías y tímidas que no conocen ni la victoria ni el fracaso".

Los verdaderos líderes no deben preocuparse en gran manera por los errores ocasionales, pero deben permanecer vigilantes ante todo aquello que los haga sentirse avergonzados.

Los verdaderos líderes no deben preocuparse en gran manera por los errores ocasionales, pero deben permanecer vigilantes ante todo aquello que los haga sentirse avergonzados.

Aunque, habiendo dicho lo anterior, repetir el mismo error muchas veces nos convierte en compañeros del error. Los líderes hábiles aceptan la responsabilidad por los problemas y tratan con ellos de manera rápida y justa. Si el problema es su responsabilidad, también lo es la solución.

El riesgo fue uno de los temas favoritos en la mesa del comedor cuando mis hijos estaban cursando los años de primaria y bachillerato. Pasado algún tiempo animé a dos de mis hijos a ingresar al mercado de las materias primas y en su intento ellos perdieron hasta la camisa porque malinterpretaron mi consejo (aunque admito que yo hice lo mismo en mi juventud). Los líderes tienen que tomar riesgos calculados.

꙳

Los líderes vienen en diferentes formas y sabores, pero los elementos primordiales rara vez varían: talento, integridad, valor, visión, compromiso, empatía, humildad y confianza. Entre más grandes sean estos atributos, mas fuerte será el liderazgo.

Muchos ejecutivos de negocios sólo buscan una compensación excelente y beneficios. Legiones de políticos desean mantenerse en la oficina y lidiar con sus propios intereses en mente. Existen líderes religiosos que se bañan en tratamiento reverencial. Y todos estamos familiarizados con celebridades adictas a los seguidores. Nada de eso es liderazgo. Los líderes exitosos mantienen sus posiciones a través del respeto ganado a la manera antigua.

En la pared de mi oficina hay colgada una placa en la cual están inscritas las palabras del legendario presentador de noticias Edward R. Murrow: "La dificultad es la única excusa que la Historia nunca acepta".

Me aseguré de que mis hijos entendieran ese significado. La vida es difícil y el éxito más aún, pero cualquier meta que valga la pena debe ser desafiante. Comprometerse en actividades desprovistas de dificultad, descansar en zonas libres de riesgo, es llevar una vida sin gran significado. Los niños son perceptivos. Ellos aprenden tanto de la observación como de la participación, así que los líderes, especialmente los que son padres, deben practicar lo que predican.

En el 2001 nuestra compañía estuvo al borde de la bancarrota. Nuestros bonos de alto rendimiento se cotizaban a $0,25 centavos de dólar. Nuestros equipos financiero y legal habían traído especialistas en quiebra desde Los Ángeles y Nueva York. En su opinión, la bancarrota era inevitable.

Para mí, la bancarrota no era una opción. Era nuestro nombre el que estaba en la puerta del frente. El carácter familiar estaba en juego. Virtualmente todas las 87 entidades crediticias con las que negociábamos en ese tiempo creían que nos íbamos a estrellar. El dinero efectivo era escaso. Estábamos en medio de una recesión. Nuestra industria estaba sobreproduciendo. Los márgenes de ganancia estaban cayendo. Las exportaciones se redujeron. Los costos de energía estaban fuera de control.

En medio de esa tormenta perfecta fuimos golpeados por una ola impredecible: la catástrofe del 9/11.

Me recordé a mí mismo en medio de esta confusión lo agradecido que estaba por ser el elegido para liderar la compañía en este tiempo porque estaba convencido de que podía guiarla a través de este bloqueo sin precedentes. Esta compañía no sería bloqueada por abogados corporativos, ni banqueros ni asesores que cuentan supuestamente con todas las respuestas y son altamente remunerados. No durante mi vigilancia. Ninguno de ellos alcanzaba a comprender mis nociones de carácter e integridad.

Iniciamos programas de reducción de costos en todos los niveles y en todas las locaciones geográficas; negociamos una posición de equidad para los poseedores de bonos; también refinanciamos nuestra deuda con esas 87 entidades crediticias. Recaudamos capital adicional para ayudar a pagar la deuda. Parte por parte armamos nuevamente el complejo mosaico financiero. Habría sido más fácil elegir la bancarrota, pero dos años y medio después, Huntsman Corp emergió más fuerte que nunca. Wall Street estaba sorprendido.

La crisis crea una oportunidad de sumergirnos en lo más profundo de las reservas de nuestro ser con el fin de conseguir niveles de confianza, fortaleza y capacidad de resolver las adversidades con toda las habilidades, que de no ser por la adversidad, no sabríamos que poseemos. A través de las circunstancias difíciles estamos cara a cara con quien realmente somos y con lo que realmente importa.

> La crisis crea una oportunidad de sumergirnos en lo más profundo de las reservas de nuestro ser con el fin de conseguir niveles de confianza, fortaleza y capacidad de resolver las adversidades con toda las habilidades, que de no ser por la adversidad, no sabríamos que poseemos.

Hay un gran espíritu de "yo puedo" en cada uno de nosotros listo para ser liberado. Todos tenemos reservas para aprovechar en caso de peligro. En una crisis la mente puede ser brillante y altamente creativa. Es durante una crisis cuando el carácter verdadero queda al descubierto.

Los líderes son seleccionados para dar los pasos extras, para mostrar coraje moral, para llegar arriba y aun más allá hasta alcanzar la meta. Al final del día ellos tienen que haber alcanzado sus metas pues de no ser así, el día no cuenta.

En el ambiente actual, en el cual lo que cuenta es "qué hay para mí", la humildad es vital para el buen liderazgo. Uno debe dejarse enseñar y reconocer el valor de aquellos que también nos ofrecen soluciones positivas.

Hace unos pocos años, me reuní con mi viejo amigo Jeroen van der Veer, Jefe Ejecutivo del Royal Dutch/Shell Group, en su oficina en The Haghe. Jeroen era Presidente de Shell Chemical Company en Houston durante el inicio de los años 90. Era claro para mí que él estaba en camino a la posición más alta en la compañía más grande del mundo. Nos convertimos en amigos de confianza.

Le pregunté acerca de sus ideas sobre liderazgo. "El único valor común que la mayoría de líderes de hoy no tiene, sea en negocios, política o religión" dijo: "es la humildad". Luego citó varios casos en donde individuos de alto perfil cayeron de posiciones elevadas porque se rehusaron a dejarse enseñar y a ser humildes.

"Ellos sabían todas las respuestas y se rehusaron a escuchar el consejo sabio y prudente de otros. Su primer enfoque debía ser formar otros líderes, diseñar una visión a largo plazo y tener una cierta modestia acerca de sus propias capacidades".

Adicionalmente, los líderes deben ser sinceros con aquellos a quienes pretenden liderar. Compartir las buenas noticias es fácil. Cuando se trata de noticias más negativas y problemáticas, sea humilde y acepte la responsabilidad. No contemple posibilidades no placenteras; no les pase las malas noticias a sus subordinados para que ellos las divulguen. Mantenga a sus colaboradores actualizados con los problemas de manera oportuna.

Cuando yo estaba en noveno grado conseguí un trabajo ensamblando vagones y triciclos en Payless Drugstore. La noche de Navidad, el gerente de la tienda se presentó con una caja de chocolates y cerezas y me despidió. Quedé paralizado. El gerente nunca me dijo que la posición era temporal. Eso me dejó tan fea impresión que prometí que siempre sería sincero con los empleados cuando se tratara de la posibilidad de despidos.

ॐ

El liderazgo debe ser genuino, energético y comprometedor. He trabajado como Director en la Mesa Directiva de las cinco principales Bolsas de Nueva York en los pasados 25 años. Durante ese tiempo conocí pocos hombres y mujeres que realmente estaban proveyendo ayuda a las compañías involucradas. Muchas veces los directores toman decisiones imprudentes basadas en Wall Street, las cuales son peligrosas para la salud de la compañía a largo plazo, debido a la adicción actual a las ganancias a corto plazo.

Usted se imaginará que la mayoría de los directores corporativos saben cómo hacer lo mejor. Después de todo, se supone que son individuos brillantes y exitosos. Desafortunadamente muchas de las mesas directivas de hoy son un poco menos que clubes sociales que hacen un trabajo pobre protegiendo los intereses a largo plazo de todos los interesados.

> Desafortunadamente, muchas de las mesas directivas de hoy son un poco menos que clubes sociales que hacen un trabajo pobre protegiendo los intereses a largo plazo de todos los interesados.

La mayoría de los directores carece de experiencia en la industria de la compañía que está dirigiendo. En esos casos la gerencia fácilmente manipula a tales directores debido a que las principales preocupaciones que ellos tienen son sus honorarios, sus beneficios de retiro y el prestigio de pertenecer a la junta directiva. Generalmente, esta clase de directores tiene solamente una pequeña porción de su patrimonio invertido en la compañía y ellos detestan estar en desacuerdo con el gerente operativo, el presidente u otros directores.

Los accionistas, socios y demás interesados estarían indignados si conocieran la falta de enfoque, experiencia, conectividad y buen juicio exhibido por un gran número de directores corporativos. Aunque estos directores ocasionalmente despiden al gerente operativo en un instante si algún negocio no funciona o una metida de pata ética queda expuesta, dichos directores habrían cumplido mejor sus obligaciones si primero que todo hubieran detenido al gerente operativo de hacer malos negocios o de tomar decisiones antiéticas.

Anime siempre al director que se atreve a romper filas para proponer una nueva ruta, que ofrece una perspectiva diferente, que plantea preocupaciones éticas, que se enfoca en el bien de los interesados a largo plazo.

Tengo gran respeto por muchos gerentes operativos en el mundo de los negocios de hoy. Son hombres y mujeres dedicados, dotados, honestos. Aprecian el hecho de ser elegidos para liderar sus respectivas compañías. Ellos aceptan sus deberes: mantener el negocio saludable, entregar una ganancia justa en la forma más responsable profesional y socialmente posible, mostrar entereza moral y ser previsivos.

Cuando el barco se encuentra en problemas, como en la historia que relaté anteriormente, todos los ojos se ponen sobre el capitán. Los subordinados pudieron ser los que se equivocaron, pero es el capitán quien debe aceptar la responsabilidad por el error y por sacar la nave fuera del problema. Y le aseguro que requiere más esfuerzo corregir un error, que cometerlo.

అ

El liderazgo es un privilegio. Sin embargo quienes aceptan tal responsabilidad deben saber que pueden esperar una rendición de cuentas por su administración.

Es común para las personas renunciar a un salario más alto para unirse a una organización con liderazgo fuerte y ético. La mayoría de los individuos desea un liderazgo que pueda admirar y respetar. Muchos desean estar en sintonía con ese tipo de líder y a menudo pondrán su vida en paralelo a la de esa persona, ya sea en una empresa, religión, política, familia, enseñanza u otro escenario.

Un buen ejemplo de esto es Mitt Romney, ex-Gobernador de Massachusetts, quien le devolvió la integridad al escándalo ocurrido durante los Olímpicos de Invierno en el 2002. Esa demostración clásica de liderazgo fue infecciosa para toda la organización de los Olímpicos y hasta para los miles de voluntarios. Como resultado, esos juegos fueron los más exitosos y libres de problemas en la Historia reciente de los Olímpicos.

Inversamente, debido a que los líderes son observados y emulados, su involucramiento en conductas antiéticas o ilegales suelen tener un efecto devastador en otros.

La valentía es simplemente el factor más importante en el momento de identificar el liderazgo. Los individuos pueden saber a ciencia cierta qué está bien y qué está mal pero fallan en no actuar decididamente porque les falta el coraje que sus valores necesitan.

Los líderes, ya sea dentro de las familias, corporaciones, organizaciones o la política, deben estar preparados para pararse en frente de la multitud cuando sus valores morales son desafiados. Deben ignorar las críticas y las burlas si están siguiendo un camino recto y justo. El liderazgo se supone que es de enorme proporciones. El valor es un requisito absoluto. "Sin él", dijo Winston Churchill, "las otras virtudes pierden su significado. El coraje es la primera de las cualidades humanas porque es la que garantiza las otras cualidades".

Algunos economistas sostienen que los líderes empresariales sólo tienen una responsabilidad: emplear todos los medios legales para incrementar las ganancias corporativas. La empresa comercial, según algunos economistas, es amoral por naturaleza. Compita abierta y libremente en cualquier forma siempre y cuando usted no participe en engaño ni fraude (violaciones al libro de normas).

Adaptar un credo de esa naturaleza sin un énfasis adecuado en moralidad es una invitación para los ejecutivos a razonar en cuanto a tomar atajos éticos, así como un modelo potencial para estudiantes impresionables de la Escuela de Negocios cuando se enfrenten al mercado. La humildad, decencia y liderazgo social, se vuelven irrelevantes bajo esta clase de escenario.

El evangelio según estos economistas implica que si de alguna manera uno encuentra una escapatoria en una ley que prohíbe atajos a lo largo del camino, uno no tiene por qué permanecer en la misma pista ovalada con los otros corredores. Tampoco está obligado a maximizar resultados bajo la más amplia interpretación de las normas oficiales de conducta, cuando estas son alteradas o se manejan con indecencia.

No culpo totalmente al meollo moral en el que parece que nos encontramos en esa línea de pensamiento. De hecho, estoy de acuerdo con estos economistas en cuanto a que un negocio por sí mismo no puede tener ética así como un edificio tampoco la tiene; sólo los humanos poseemos estándares éticos. En donde difiero es en la implicación de que la moral profesional distrae a los ejecutivos corporativos de sus obligaciones fiduciarias.

En un sentido técnico, los negocios por sí mismos pueden ser amorales, pero su liderazgo debe estar dictado por decisiones morales. Requiere gran valor seguir la brújula moral y enfrentar las presiones del mercado, pero ningún reto altera este hecho: independientemente de quién esté sosteniendo la brújula o de cómo la esté sosteniendo, o qué hora del día sea, el Norte es siempre el Norte y el Sur es siempre el Sur.

80

Seguir la brújula moral propia no es una cuestión de romperse la cabeza de la preocupación. Los líderes merecedores de ese título entienden y aceptan que son elegidos precisamente por sus valores y coraje, por sus habilidades administrativas, sus conocimientos de mercadeo y su punto de vista visionario.

Seguir la brújula moral propia no es cuestión de romperse la cabeza de la preocupación.

"Sino que vuestro 'sí' sea 'sí',
y vuestro 'no' sea 'no'".
—Santiago 5:12

"La Primera Enmienda tiene 45 palabras; la oración al Padre Nuestro tiene 66 palabras; el Discurso de Gettysburg se compone de 286 palabras. Hay 1.322 palabras en la Declaración de Independencia, pero en las regulaciones del gobierno sobre la venta del repollo hay en total 26.911 palabras".
—*National Review*

"Un hombre con coraje, hace la mayoría".
—Andrew Jackson

CAPÍTULO CINCO

Mantenga su palabra

Ya es hora de intimidar a los abogados corporativos

Shakespeare no quiso ser literal cuando dijo que debemos asesinar a todos los abogados, así que perdone a aquellos que sonríen ante este pensamiento, dado que la profesión legal, colectivamente y con complicidad nuestra, está despojando a América de responsabilidad personal y de confianza en sí mismo y en el otro. Todos nosotros, en poca o gran manera, somos parcialmente responsables por esta erosión de la integridad, pero yo le adjudico la culpa mayor, con notables excepciones, a los abogados, especialmente a los abogados corporativos.

Ellos no empiezan su vida queriendo hacerlo, pero son entrenados en la Escuela de Leyes para esperar a solucionar los pleitos hasta cuando estos llegan al límite; se capacitan para ganar en lugar de mediar. Bajo el atuendo de la protección legal muchos abogados corporativos han hecho imposible sellar negocios con tan sólo un apretón de manos. Ellos han creado sin darse cuenta una ola de desconfianza, han terminado con amistades de mucho tiempo y han intercambiado la buena voluntad entre las personas por vacíos, cláusula de escape y redacciones enredadas.

La palabra de una persona ha sido remplazada por un contrato escrito sujeto a revisión legal.

La palabra de una persona ha sido remplazada por un contrato escrito sujeto a revisión legal.

Las transacciones concisas y rectas no tienen peso a menos que estén acompañadas por 100 páginas de excepciones y cláusulas en jerga legal impresa. Un trato sellado con un apretón de manos pierde significado si no está acompañado de un documento legalmente firmado cuya complejidad compite con la del Tratado de Versalles.

Esta es una debilidad grande en nuestro sistema debido a que la mayoría de los abogados tiene poca experiencia en negocios. Ellos tienden a enfocarse en por qué algo no debe o no puede hacerse. Los detalles legales construyen las secciones tenor o soprano de este coro de pesimistas. Los prestamistas, contadores, y consultores completan el coro como los altos y los barítonos. Ellos se escuchan a sí mismos cantando en perfecta armonía, pero para la mayoría de nosotros, suena como una disonancia.

Tal como Jeffrey Sonnenfeld, Decano Asociado de los programas ejecutivos en Yale School of Management publicó en un artículo de *Business Week*, los abogados corporativos son considerados los "vicepresidentes del No".

Casi siempre aparecen problemas cuando los clientes permiten a los abogados tomar decisiones para las cuales este gremio no está calificado. En un artículo reciente de la revista *Inc.*, el autor Norm Brodsky dice que los abogados inteligentes conocen los límites de su experiencia y se limitan a sí mismos para dar consejo legal. "Los abogados no tan inteligentes", dice, "cobran por adelantado y enredan las cosas". Los abogados no son gente de negocios, aunque muchos de ellos le harán creer a usted lo contrario".

Muchos gerentes operativos y otros en la jerarquía corporativa aprecian cada partícula de "sabiduría" pronunciada por un abogado, sin reconocer que la persona que está impartiendo la información es la menos preparada para aconsejar a aquellos que han desarrollado una trayectoria consistente en el mercado.

Los seres humanos somos honestos de manera innata, pero si usted enciende un fuego legal, su contraparte hará lo mismo. En ese momento, el asunto se convierte en una negociación para abogados.

Los seres humanos somos honestos de manera innata, pero si usted enciende un fuego legal, su contraparte hará lo mismo. En ese momento, el asunto se convierte en una negociación para abogados.

Encierre a los abogados en el ático hasta que realmente los necesite. Yo llegué a un punto en mi carrera en donde envié a los abogados fuera de todas las reuniones en las que había negociaciones de fusiones y los convocaba sólo cuando se requería una experiencia técnica en leyes y en el lenguaje legal para hacer negocios.

No significa que los abogados sean inherentemente antiéticos o malvados, ciertamente no más que los miembros de otras profesiones. Es asunto de que los abogados remplacen la ética personal con estándares profesionales. Los abogados son educados para representar el mejor interés de sus clientes, inclusive si esa orden significa causar daño innecesario a la contraparte.

Murray Swartz, un abogado de Nueva York de altas capacidades y fama, quien es descrito como abogado de abogados, sostiene que cuando un abogado actúa como defensor de un cliente, "no es ni legalmente, ni profesionalmente, como tampoco moralmente responsable por los medios usados ni por los fines alcanzados".

El ex-Presidente de la Corte Suprema de Justicia de Utah, Michael Zimmerman, considera lo anterior como una manera cómoda de abolir la responsabilidad ética. Los abogados son solamente técnicos amorales.

86   Ciertamente, los abogados no son el único grupo profesional que ocasionalmente separa la ética personal de las normas profesionales. Los ejecutivos de las compañías de tabaco, quienes solamente quieren expandir sus mercados y las ganancias de la corporación, encubren sus conciencias con la idea simplista de que nadie obliga a la gente a fumar. El costo humano extraído de sus productos no es abordado en las teorías de negocios que cubren el sonido de las cajas registradoras.

Los políticos evaden e invitan, prometen mucho y entregan poco, todo con tal de permanecer en sus puestos públicos. Todo se vale en el amor, la guerra, la línea de fondo, la anotación final y en la relección.

Los medios de comunicación se envuelven en el manto de "el público tiene derecho a saber", escudándose de manera injusta, o con la cobertura errónea, con la excusa de la Primera Enmienda.

Y he expresado mi opinión acerca de Wall Street, una arena en la cual la desinformación es considerada una virtud.

Mi punto es que hay asuntos tan grandes de ética personal, integridad y decencia humana que, en ocasiones, debemos ignorar los estándares tradicionales de las prácticas profesionales.

He reservado mi más dura retórica para este problema porque estoy convencido fuertemente de que la integridad es el centro de todas las demás virtudes. Es muy penoso que en estos días dos personas tengan que sentirse incómodas con los acuerdos verbales o que no aceptemos la responsabilidad de nuestros propios errores.

Restablecer los conceptos de responsabilidad personal y que la palabra de cada individuo sea confiable, significa prescindir de la dependencia en los abogados. Es posible evitar muchas situaciones legales y sociales no placenteras ofreciendo confianza, aceptando la responsabilidad y manteniendo la palabra, inclusive si al hacerlo nos causa malestar.

> Restablecer los conceptos de responsabilidad personal y que la palabra de cada individuo sea confiable, significa prescindir de la dependencia en los abogados.

La mayoría de cónyuges, vecinos y colegas de negocios no necesitan abogados cada vez que se presenta un desacuerdo. Si nos adhiriéramos a los valores morales básicos, los contratos legales de gran volumen serían innecesarios.

Abraham Lincoln, siendo abogado, dio en el punto: "Desapruebe los litigios. Persuada cada vez que usted pueda a su vecino para que él se involucre más en lo que sea necesario. Como hacedor de paz, el abogado tiene la oportunidad superior de ser un buen hombre. Y aun así, todavía habrá suficientes negocios".

Un apunte gracioso dice que América tiene 40 abogados por cada ingeniero, mientras China, emergente como una de las naciones más dinámicas del mundo, tiene 40 ingenieros por cada abogado. No estoy seguro exactamente de lo que esto quiere decir pero sé que no debe ser un punto a favor para Estados Unidos. Es probable que sea sólo coincidencia que la explosión en lapsos éticos y legales en el mundo de los negocios sea paralelamente proporcional al incremento de abogados.

"La mayoría de las decisiones en los negocios involucra riesgo", dice Norm Brodkky en su artículo de la revista *Inc*. "Es por eso que la persona de negocios debe tomarlos. ¿Quien más va a decidir con cuánto riesgo está dispuesto a vivir usted como individuo? Desafortunadamente, algunos abogados no entienden que es responsabilidad del cliente evaluar el riesgo".

No me malentienda. Es importante que escuchemos siempre a los abogados, pero sólo para tener una segunda opinión. Su opinión debe ser la primera y la última.

No me malentienda. Es importante que escuchemos siempre a los abogados, pero sólo para tener una segunda opinión. Su opinión debe ser la primera y la última.

Algunos de nosotros nos rehusamos a actuar o a continuar hacia adelante en la vida sin consejo legal. En eso perdemos nuestra individualidad. Alguien está pensando por nosotros, hablando por nosotros, actuando por nosotros y haciéndonos desconfiar de todo el mundo.

La profesión legal ha hecho la vida más complicada. El problema es que creemos que siempre debemos tener a un abogado a nuestro lado. Virtualmente, todo el mundo trae al abogado a las transacciones de negocios inclusive antes que la contraparte diga algo.

Debido a que se supone que el diablo está en los detalles, las negociaciones representan un escenario grandioso y lucrativo para los abogados. Las Leyes, así como la Medicina, la Programación de Computadores y los aterrizajes lunares, es una profesión complicada. Muchos de nosotros no tenemos habilidades con los computadores, la Medicina, la Ciencia de cohetes o las Leyes. Sentimos que no estamos en posición de cuestionar, pero lo estamos. Insista en el resultado, sea honorable y haga negocios con buen sentido.

> Debido a que se supone que el diablo está en los detalles, las negociaciones representan un escenario grandioso y lucrativo para los abogados.

Los abogados nos han entrenado para creer que nada es hermético, que cualquier acuerdo puede romperse y que la vida es una gran laguna jurídica. Un apretón de manos tiene tan poco significado como una auditoria a Enron. El cielo prohíbe que la ley sea la ley. Hoy, la ley es lo que el cliente quiere que sea. En la actualidad podemos demandar a cualquier persona por cualquier cosa. Podemos arruinar una reputación con un simple alegato, pregonando la falsa noticia por internet en segundos.

Con todo lo dicho, he sido privilegiado en conocer a algunos abogados maravillosos que buscan genuinamente la justicia y buscan tratos honestos. Ellos pueden ser de ayuda para pasar a través de las numerosas regulaciones del gobierno y su prosa contractual llena de tecnicismos, problemas legales o tonterías incomprensibles. Y por supuesto, son invaluables si usted se encuentra en los tribunales, que es más que una remota posibilidad en la jungla de litigios de hoy. Ese debe ser el alcance de la ayuda de un buen abogado.

El gerente operativo es la persona que toma el riesgo, quien debe determinar la ruta ética y decente, quien ordena la velocidad y dirección de la nave. Si son los abogados quienes deciden todo eso, son ellos quienes dirigen la compañía. Hasta donde yo sé, los abogados corporativos son asesores.

Durante estos tiempos de pleitos, no es sorprendente que más compañías estén buscando gerentes con conocimientos legales comprobados. Aunque existen excepciones, esa parece ser la dirección equivocada. Los abogados son entrenados en principios de contabilidad y finanzas, pero el juego en equipo, la toma de riesgos empresariales, permitir estrechones de mano para decirlo todo y la visión del mercado, no se adhieren fácilmente a aquellos sumergidos en los hábitos de trabajo y formas de pensar de la profesión legal.

He observado que en la mayoría de los casos en los que el gerente operativo es abogado, la compañía experimenta fallas mayores, por lo general una catástrofe financiera. Los ingredientes básicos para la satisfacción del cliente toman el último asiento del argot legal. Y Dios ayude a los proveedores y empleados que quieren continuar con una relación simple y correcta.

Como publicó *Business Week* al final del 2004: "No busque un Doctor en Jurisprudencia para remplazarlo en cualquier momento por un Administrador de Empresas".

Mantener la palabra a veces requiere de gran resolución. Dos ejemplos personales a continuación.

❧

En 1986, después de largas negociaciones con Emerson Kampen, Presidente y Gerente Operativo de Great Lakes Chemical Company, acordamos que él compraría el 40% de una división de mi compañía por $54 millones de dólares. Las negociaciones habían sido largas y arduas pero un apretón de manos cerró el trato.

No supe nada de Kampen por varios meses. Aproximadamente 4 meses después de esas discusiones, los abogados de Great Lakes llamaron para decir que querían elaborar algunos documentos. Habían estado intentando meter sus narices en los negocios, como siempre. Tomó 3 meses para poner esta simple compra en papeles. El tiempo entre el apretón de manos y los documentos fue de 6 meses y medio.

En el intermedio, el precio de la materia prima decreció sustancialmente y nuestros márgenes de ganancia estaban alcanzando el máximo. Las ganancias se triplicaron en ese medio año. Nada se había firmado con Great Lakes, ni habíamos intercambiado documentos. Kampen llamó con una propuesta fuera de serie.

"El 40% de Huntsman Chemical hoy vale $250 millones, de acuerdo con mis banqueros" dijo Kampen. "Tú y yo estrechamos manos y acordamos un precio de $54 millones hace seis meses". Aunque él no pensaba que tenía que pagar el precio de toda la diferencia, sí pensó que era justo que pagara por lo menos la mitad, y eso ofreció.

Mi respuesta fue un no, no sería justo usar el valor apreciado, él no debía partir la diferencia. "Usted y yo acordamos mediante apretón de manos un trato de $54 millones", le dije, "y ese es exactamente el precio con el cual los abogados deben elaborar nuestros documentos".

"Pero eso no es justo para usted", respondió Kampen.

"Usted negocie por su compañía, Emerson, y déjeme a mí negociar por la mía", fue mi respuesta.

Kampen nunca olvidó ese apretón de manos. Se lo llevó a la tumba. En su funeral él había preparado 2 oradores principales: el gobernador de Indiana y yo. Nunca fui amigo personal de Emerson, pero él y yo supimos que una valiosa lección tuvo lugar entre nosotros. Aunque pude forzar a Great Lakes a pagar un extra de $200 millones por ese 40% de mi compañía, nunca tuve que luchar con mi conciencia ni mirar por encima de mi hombro. Mi palabra tuvo valor.

(Es irónico, a medida que escribo este manuscrito revisado me encuentro en una situación de negocios en donde los ejecutivos de la compañía que acordó comprar mi compañía ya no desean pagar el precio acordado y están tratando de zafarse del negocio.)

92   A comienzos de los años 80, mi primer gran negocio era comprar una planta petroquímica de la Shell Oil Company. Peter De Leeuw, el Vicepresidente de Shell Chemical, elaboró un documento de acuerdo. Me pidió que lo revisara durante la noche y lo discutiríamos en la mañana. Lo leí cuidadosamente, hice algunos cambios menores y lo firmé de inmediato. Aunque él no lo había enviado aún a los abogados corporativos, ese fue el documento más corto y mejor preparado que he leído.

De Leeuw se sorprendió con ese acto. Él quería que mis abogados (y los suyos) le dieran una mirada al acuerdo. Le dije que confiaba en él. Aunque los abogados de Shell lo revisaron (por supuesto tenían montones de preguntas y adiciones), mi firma inmediata y despliegue de confianza le dieron a De Leeuw la certeza de mi honorabilidad y la confianza en que le ayudaría a solucionar una falla tras otra durante los meses siguientes. Cuando usted negocie, busque a los jugadores en los que pueda confiar y mantenga a los abogados en la banca.

Ofrezco estos episodios de forma no egoísta; sería grosero para el lector. Sin embargo es imperativo que todos entendamos la importancia de lo que significa mantener la palabra.

అ

No necesitamos eliminar los abogados, simplemente reducir su omnipresencia moderna en nuestros negocios. Úselos para consejo legal y deje las demás decisiones para los expertos.

Confiemos más en los demás y en nosotros mismos. Así como el periodista y autor Frank Scully una vez preguntó:

"¿Por qué no nos vamos a las ramas? ¿Acaso no es ahí donde está la fruta?".

La confianza, sin embargo, no debe ser ciega. Deje la fe ciega para la religión. Una persona de negocios prudente sabe con quién está negociando y exactamente lo que se está negociando. Hablando de esto, el Presidente Ronald Reagan tenía una gran frase: "Confíe pero verifique". Si confiamos en nuestros instintos y habilidad de evaluar, tendremos menos problemas confiando en otros.

> La confianza, sin embargo, no debe ser ciega. Deje la fe ciega para la religión.

Como capitanes de nuestro carácter es esencial que entendamos el gran legado de confianza e integridad. Seremos recordados por nuestros conceptos acertados y por las promesas cumplidas.

La integridad individual y corporativa debe convertirse en el sello del mercado. En el fondo de nuestros corazones tenemos el entendimiento básico de que cuando decidimos algo, así debe ser. ¿Recuerda la frase "Atraviesa mi corazón y espera a que yo muera"? Un apretón de manos es siempre tan comprometedor como un documento legal firmado.

Debemos negociar con seriedad y con toda diligencia para obtener el mejor resultado posible. Cuando un apretón de manos sucede, debe ser honrado a toda costa. La negociación difícil sólo tiene lugar antes de llegar a un acuerdo. Cuando usted estrecha manos, la negociación se terminó. Su palabra es su más grande posesión; la honestidad su mejor virtud. "Sin ella", dice Cicerón, "no hay dignidad".

"El que ama el dinero, no se saciará de dinero; y el que ama el mucho tener, no sacará fruto".
—Eclesiastes 5:10

CAPÍTULO SEIS

Por qué cruzamos la línea

Ya es hora de intimidar a los abogados corporativos

¿Por qué algunos estudiantes brillantes deciden hacer trampa? ¿Por qué ciudadanos de bien resuelven engañar en su declaración de impuestos? ¿Por qué algunos atletas talentosos y bien entrenados físicamente se inyectan con drogas que mejoran su desempeño? ¿Cómo profesan algunos que son religiosos y se atreven a mirar a los ojos de la persona con la que hablan y le dicen mentiras? ¿Cómo ciertos respetuosos de la ley engañan a sus cónyuges? ¿Por qué algunos ejecutivos corporativos adinerados llenan sus billeteras usando métodos fraudulentos? Y mientras resolvemos los misterios de la vida, ¿cómo es que algunos adinerados parecen atravesar momentos difíciles cuando se trata de ayudar económicamente a quienes lo necesitan?

Todas son preguntas simples con diferentes y complejas respuestas. Realmente no estamos forzados a escoger vías antiéticas pero según los medios, la investigación académica y nuestra propia experiencia, la deshonestidad (y el egoísmo) suceden muy a menudo. Algunos afirman que la deshonestidad está aumentando, aunque no hay evidencia científica que valide esa afirmación (en todo caso, ¿quién confiaría en una encuesta de tramposos y mentirosos?). Puede que haya menor comportamiento ético hoy en día, pero también es verdad que es más publicitado que hace 50 años. Es probable que las anécdotas de alto perfil den la impresión de que ser deshonestos es más común.

Hay algo que sí es un hecho: la deshonestidad no es un fenómeno moderno.

La deshonestidad no es
un fenómeno moderno.

Por lo general pensamos de nosotros mismos que somos seres humanos honestos, decentes y morales, y en realidad, muchos lo somos. El dilema aparente es que si comparamos nuestra percepción *versus* la vida real, observamos que en algunas ocasiones entramos en momentos de negación. De hecho, periódicamente nos comprometemos en sencillos actos deshonestos o antiéticos debido a una variedad de razones.

Para algunos, la motivación es posiblemente la simple emoción barata de pararse sobre el límite o de tentar al destino. Para otros, la respuesta radica en si el acto deshonesto tiene "sentido" en un análisis de costo/beneficio, ya sea que la ganancia mal habida exceda o "justifique" el riesgo.

¿Se ha sentido usted en ocasiones tan acorralado que cree que la única opción es involucrarse en un atajo ético como la única salida práctica? ¿Experimentan algunos un corto circuito ético debido a las presiones? ¿O están tan enfocados en sí mismos como para prestarle atención a "simplezas"? Las razones para una conducta inapropiada son muchas, pero la ruta correcta una sola.

Las razones para una conducta inapropiada son muchas, pero la ruta correcta una sola.

La honestidad es vista como una virtud por todas las religiones y casi todas las sociedades. Estudio tras estudio revela que las personas valoran la honestidad y creen fuertemente que son honestas. No nos gusta que nos mientan, ni estar en frente de un tramposo, o ser embaucado en un fraude. Nos enfurece cuando oficiales públicos se enredan en malos actos y cuando un gerente operativo del sector privado altera los libros.

Mejor aún, reconocemos el comportamiento antiético cuando lo vemos. Los padres reconocen cuando sus hijos están mintiendo. Una investigación reciente acerca de los sentidos de un niño evidenció que un niño de tan sólo tres años puede detectar cuando alguien no está diciendo la verdad.

Que cada uno de nosotros ocasionalmente se tropiece no es un secreto. Desde que Adán falló en la prueba del pecado original, el mundo está lleno de ejemplos de individuos que toman malas decisiones. Después de todo somos frágiles, humanos imperfectos, propensos a los errores. Nuestros prejuicios, codicia y la presunción general, son las causas de salirnos de los rieles rectos. Una caída ocasional, afortunadamente, no se convierte en habitual en la mayoría de nosotros pues cuando cometemos un error, nos sentimos mal, avergonzados y culpables. Tarde o temprano nos confesamos. Ninguno de nosotros quiere romper su palabra. Aunque hay momentos en que es imposible mantenerla. Recuerde, una mala racha de eventos no nos libra de nuestra promesa. Sólo la persona a quien su palabra le fue dada puede liberarlo de ella. Y es a ella precisamente a quien debemos informarle nuestro problema y darle la oportunidad, si ella decide, de librarnos del asunto.

En ocasiones, durante los tiempos de prosperidad, la gente se desvía del camino ético, cegada por el brillo del oro. La tentación acecha para prolongar la euforia de la manera más fácil posible. Debemos decidir que escoger el comportamiento ético llega a ponernos en desventaja con respecto a otros. (Los atletas que usan drogas para mejorar el desempeño, por ejemplo, sienten que no pueden detenerse pues sus competidores las toman).

Los actos antiéticos pueden ser vistos como la ruta más práctica. La penalidad potencial para castigar la deshonestidad aparenta ser tan mínima comparada con las ventajas recibidas, que por lo tanto pareciere tener sentido comportarse sin ética.

En tiempos inciertos, las personas ven la deshonestidad como la única manera de preservar sus carreras, como la cura más rápida para reconstruir su riqueza, o como la solución para mantener sus cabezas a flote. Creen falsamente que no tienen nada que perder, o que el acto deshonesto sólo se cometerá una vez. Esta, es con seguridad, una pendiente resbalosa.

No hay excusas para mentir, hacer trampa y ser egoístas bajo ninguna circunstancia, pero es evidente cómo la presión de hacer tales cosas aparece durante una crisis. Es por eso que me siento obligado a emitir un fuerte llamado a reafirmar nuestras bases morales.

Algunos individuos, probablemente a menor escala, en negocios, deportes, academia, política y dentro de las organizaciones, son de lleno patológicamente antiéticos. Ellos necesitan ayuda mas allá de la que intento ofrecer aquí. Adicionalmente, hay un grupo de personas a quienes los demás no les importan nada y se ocupan tan sólo de sí mismas. Este último grupo es un problema creciente y una amenaza a los valores que apreciamos.

A veces somos empujados por motivaciones que compiten entre sí: la ganancia a corto plazo a partir del engaño *versus* el mantenimiento de una imagen positiva. Cualquier elección requiere sacrificio. Si la recompensa no es grande, el costo de permanecer honesto es mínimo. Si el beneficio es grande o percibido como más necesario, la decisión de mantenerse honesto es mucho más difícil.

Esta teoría de costo beneficio fue la base de un experimento llamado "La deshonestidad de las personas honestas", llevado a cabo en el 2005 por los economistas Nina Mazar y Dan Ariely de Massachusetts Institute of Technology, y On Amir, un experto en mercadeo de la Universidad de California en San Diego.

Los participantes midieron cuidadosamente las ventajas y desventajas de la honestidad y de la deshonestidad, llegando a una decisión que maximizara sus intereses, incluyendo recompensas internas. Los individuos recibieron un alto pago por cada respuesta correcta. En otras palabras, si un participante no sabía la respuesta a una pregunta, hacer trampa para encontrar la respuesta ideal le daría una compensación adicional.

No es necesario decirlo, pero hubo suficiente trampa. La amenaza de ser atrapados no parecía figurar en la ecuación. Cuando los conductores de este test le agregaron un giro al examen, los resultados fueron dramáticos. (Daré detalles más adelante).

Ganar no siempre se mide en dinero. Habrá momentos en donde perdamos dinero, otras veces perderemos mucho, pero ganar es mucho más que llevar una contabilidad. Evaluando nuestros valores, primero mire los fundamentos de su vida: valores, salud, familia y amigos. Caer no es divertido, aún si usted deja detrás una olla de oro. La familia y los amigos son la sangre y el legado de nuestra vida.

La familia y los amigos son la sangre y el legado de nuestra vida.

Nuestros valores, si están bien anclados, nos ayudan a atravesar tormentas. Tome un profundo respiro cada vez que se encuentre en la mitad de una crisis y piense en todos los valores que usted posee dentro de sí. Si estos están alineados, todo está bien. A partir de ahí, concéntrese en restructurar lo que lo puso en el desorden que afronta. No ajuste sus valores por la línea más baja pues para hacerlo usted debe mentirse a sí mismo. Y una vez que usted se vea a sí mismo como un fraude, su autoimagen positiva se evaporará. La mejor forma de alejarse de lo que lo puso en crisis es cambiando el *statu quo.* Hable con otra gente, tome un descanso, mantenga algún dinero bajo el colchón mientras pasa el huracán. Empiece de nuevo. (Yo he empezado de nuevo en tres ocasiones, cada vez alcanzando o excediendo el billón de dólares en valor.) Es posible lograrlo y usted puede hacerlo.

Ahora, retomando lo que mencioné antes con respecto al experimento del engaño: el estudio de Mazar-Amir-Ariely concluyó que la gente en la prueba (y en cualquier lugar, para el caso) sabía internamente que la deshonestidad es mala. El concepto de honestidad no era nuevo para ellos, pero el conocimiento básico del comportamiento bueno y malo no siempre es suficiente para mantener a la gente en el camino recto y estrecho. "La cuestión no es que el individuo sepa que está mal comportarse deshonestamente. La cuestión es qué piensa él de esos estándares (morales) y si los compara con su comportamiento en el momento en que es tentado a comportarse de manera deshonesta".

Así que en la segunda ronda, con 229 participantes, se les pidió competir en una tarea corta antes de tomar el examen que los recompensaría financieramente por cada respuesta correcta. A la mitad de los estudiantes se les pidió que escribieran 10 libros que hubieran leído durante el bachillerato, a la otra mitad se le pidió que escribieran lo que recordarán de los 10 mandamientos. No había recompensa directa para cualquiera de estas tareas preliminares.

En promedio, los participantes recordaron solamente cerca de cuatro de los mandamientos, pero eso fue suficiente. En el grupo que tenía que recordar sus lecturas del bachillerato, el nivel de trampa fue el mismo que el del día anterior, pero el engaño fue significativamente menor para el grupo que debía recordar los mandamientos —el código básico moral para la cultura judío-cristiana. En pocas palabras, esto fue lo que los tres investigadores obtuvieron: cuando recordamos nuestros valores primordiales, la tendencia al engaño disminuye.

Cuando recordamos nuestros valores primordiales, la tendencia al engaño disminuye.

No fueron las reglas ni el castigo potencial lo que mantuvo honesta a la gente. Fue el recordatorio de los valores fundamentales que aprendieron durante su edad temprana: No robarás. No engañarás. No mentirás.

Tenemos una extrema necesidad de recordatorios constantes, ya sea de parte de otros o de nosotros mismos, acerca de este axioma universal: la honestidad es la mejor política.

"Un hombre honesto habla con la verdad, así esta ofenda; un hombre vano, solo la dice para ofender".
—William Hazlitt

"Conocer a los demás es sabiduría. Conocerse a sí mismo es iluminación".
—Lao-Tzu

CAPÍTULO SIETE

Seleccione sus asesores con sabiduría

Rodéese de colegas que tengan el coraje de decirle no

Mis hijos creen firmemente que yo pertenezco a otra época. Nunca aprendí sobre computadores; no entiendo muy bien cómo funcionan los correos electrónicos. Mis cartas y notas son a menudo escritas a mano. Manejo la tecnología de hoy debido a que muchas personas a mí alrededor son tecnológicamente competentes. De alguna manera, eso me deja en un lugar más placentero en donde las relaciones son más personales.

Si usted no tiene conocimiento acerca de algún tema, encuentre personas que lo tengan. Tengo a mi alrededor hombres y mujeres con maravilloso talento, habilidad, energía, virtud y futuro. Ellos saben que ser miembro del equipo de Huntsman requiere lo siguiente:

◇ Adherencia a los valores propios

◇ Lealtad a la compañía

◇ Lealtad con el gerente operativo

◇ Competencia

En general, busco asociados éticos, leales y talentosos. Encontrar el talento es la parte más fácil. Encontrar los otros criterios requiere de ojos y oídos hábiles. Son indiferentes para mí las características de género, raza, religión, preferencia política, origen étnico, el nombre de la universidad, estatus familiar, estilo de peinado y otras particularidades que parecieran ser las pautas de otros empleadores. Juzgue a las personas por sus valores, carácter y no por su aspecto, origen y creencias filosóficas.

El número de empleados de Huntsman ha llegado a ser tan alto como 16.000. Indudablemente ha crecido considerablemente desde los 200 trabajadores con los que empecé hace 35 años. Para guiarlos he buscado individuos con liderazgo y habilidades específicas mas allá de las mías.

La vida no es un juego de solitario; las personas dependen unas de otras. Cuando uno hace el bien, los demás son levantados. Cuando uno fracasa, los demás también son impactados.

> La vida no es un juego de solitario;
> las personas dependen unas de otras.

No existen equipos de un solo hombre, ni por definición, ni ley natural. El éxito es un esfuerzo conjunto; depende de aquel que está al lado suyo.

Para mí siempre ha sido fuente de fuerza personal estar rodeado de gente con valores similares y o mejores que los míos, que compartan mi pasión y visión con capacidades mayores a las mías.

Frecuentemente, me preguntan ¿por qué Huntsman Corp. ha sido exitosa? ¿Cuál es la fórmula para empezar con nada y llegar a la riqueza? Mi respuesta inicial es subrayar la integridad, visión, compromiso, generosidad, autoconfianza y valor para tomar decisiones que me distingan de la competencia o de la norma actual del mercado. Luego agrego que la primera decisión y la más importante de todas en el éxito personal es escoger cuidadosamente a las personas que nos rodearán. Asegúrese de que ellas compartan los mismos valores con usted, de que su carácter siempre recurra a la moral en tiempos de estrés, de que tengan resultados brillantes y competentes y que sean gente digna de su confianza.

Recientemente el *Wall Street Journal* calificó los atributos que buscan los interesados en contratar nuevo personal. Los tres que encabezaron la lista más que otros atributos fueron: habilidades interpersonales, habilidad para trabajar en equipo e integridad personal.

Curiosamente, la experiencia y el pensamiento estratégico estaban en la mitad de la lista de las 20 características más deseables para nuevas contrataciones.

Es de poco provecho emplear al mejor gerente de ventas, a un ingeniero de sistemas talentoso o a un excelente supervisor de producción, si sus valores no coinciden con los suyos. Si no trabajan bajo sus mismos estándares, ¿cómo van ellos a alertarlo acerca de un giro peligroso? Si esos empleados no diferencian el Norte del Sur, o peor aún, no les importa, ¿cómo permanecerá la organización dentro de la ruta correcta? Cultive relaciones con aquellos que se dejen enseñar.

El origen, edad, educación y experiencia varían entre empleados, pero los valores básicos deben ser uniformes y de acuerdo a la cultura que usted desea para su compañía, organización u hogar. Mantenga las expectativas éticas vivas constantemente. De otra manera afrontará consecuencias difíciles.

No es fácil encontrar empleados afines pero la búsqueda vale la pena. Usted será el responsable de establecer y reforzar los estándares éticos. Usted dará los ejemplos. Si un ejecutivo tiene un pasado en el cual cogía atajos o practicaba la deshonestidad, la organización y todos los que la componen eventualmente pagarán el precio.

Cuando éramos jóvenes, inconscientemente escogíamos amigos con valores similares. No nos gustaba tratar con chicos, por ejemplo, que no fueran confiables. Nos preocupaban. Mentir parecía tan tonto, tan innecesario. A nadie le gusta la deshonestidad. Recuerdo haberme asociado con compañeros que no eran los más populares del colegio, pero eran respetados. Y una de las razones por las que eran respetados era porque tenían integridad.

Aunque frecuentemente hablamos de estos términos como si fueran iguales, existe una diferencia entre *admiración* (popularidad) y *respeto*. La primera tiene que ver con atributos positivos externos; la segunda es un reconocimiento positivo a la fuerza interna propia y al carácter. Admiramos a las celebridades, pero no necesariamente las respetamos. Respetamos a los grandes maestros, pero no siempre nos gustan.

Algunas personas se ganan la admiración *y* el respeto. Si usted debe escoger entre estas dos, siempre escoja merecer respeto.

> Algunas personas se ganan la admiración y el respeto. Si usted debe escoger entre estas dos, siempre escoja merecer respeto.

La mayoría de nosotros debe ocasionalmente decidir entre ser popular y hacer las cosas de acuerdo con sus valores personales. Preferir la gratificación inmediata y las rutas convenientes nos ponen en peligro de perder el carácter que a largo plazo producen el éxito y el respeto. Es sabio seleccionar un amigo o un socio que sea respetado por su devoción a los valores. Eso asegura que usted no deberá preocuparse nunca por la integridad de esa persona.

Una vez pregunté a un grupo de 200 estudiantes de la secundaria la diferencia entre respeto y popularidad. Sus respuestas fueron interesantes. Un joven definió respeto así: "Es cómo me siento acerca de mí mismo cuando soy honesto y he hecho lo correcto". Esa fue una respuesta formidable porque, sin saber si él lo sabía o no, es difícil respetar a otros, si no se tiene respeto por uno mismo.

Pregunté si una persona puede disfrutar del respeto y la popularidad y una estudiante de octavo grado respondió que es sí posible si ella se aferra a sus valores y trata a los demás con bondad y afecto. Le respondí que tales individuos son escasos, pero si se debe escoger entre los dos atributos, sería bueno recordar que la popularidad es fugaz. Sin respeto duradero, las relaciones no sobreviven. Escoja lo que es correcto, no lo que es popular.

El especialista en ética Michael Josephson dice que la ética es como afrontamos el desafío de hacer lo correcto cuando el acto nos cuesta más de lo que queremos pagar. Esto es precisamente lo que les estaba diciendo a esos jóvenes. El respeto a menudo viene con un costo alto pero debemos estar dispuestos a pagar ese precio.

๛

Es difícil cuando estamos en grupos de amigos romper la multitud para ejercitar la autoridad moral en frente de la mayor oposición. Se requiere valor para hablar cuando los otros creen que lo que ellos están haciendo los llevará a obtener una promoción, mayor popularidad, más riqueza o cuando esa advertencia pondrá en peligro nuestro trabajo o posición pública. A pesar de esos riesgos, permanecer con la conciencia clara es una fuerza poderosa.

> Permanecer con la conciencia
> clara es una fuerza poderosa.

No hay un libro, una guía ni un dictado en clase que explique cómo activar el coraje. El coraje viene de lo más profundo de nuestro ser. No es el entendimiento de lo que está bien y lo que está mal. Más bien es la fuerza para escoger el camino correcto.

Cuando no estamos enfocados, los dilemas éticos se presentan maquillados de gris. Somos conscientes del negro y el blanco de las situaciones, pero es fácil pensar que vamos a poder navegar en áreas grises permaneciendo fuera de peligro en tanto no caigamos en un comportamiento ilegal demostrable. Por supuesto, nos estamos engañando. En estos escenarios, inevitablemente cruzamos los límites éticos justo antes de que el comportamiento se convierta en ilegal, si es que no lo hemos hecho ya.

Es por esto que es críticamente importante escoger de manera sabia a quienes estarán a su lado derecho y al izquierdo, como también a los que estarán a su espalda. Ellos deben tener un sentido agudo de dónde están los límites del campo del juego de la vida. Sus empleados deben compartir su percepción de dónde están las líneas de fuera de la cancha. Jugar en las zonas grises puede no ser técnicamente ilegal, pero es una práctica peligrosa en el mejor de los casos y una práctica inapropiada en el peor.

Los valores primordiales, reforzados con consultas regulares a nuestra brújula interna, son más cruciales para una compañía que las regulaciones definidas. Si determinar cuál comportamiento es ético requiere automáticamente una búsqueda en el libro oficial de normas, esta es una indicación de que somos vulnerables a pasar por alto las señales de peligro. Si tenemos que revisar si nuestra actividad está equivocada, seguramente lo está.

Si tenemos que revisar si nuestra
actividad está equivocada,
seguramente lo está.

꙰

He tenido la buena fortuna de estar asociado con personas que tienen una maravillosa actitud de "se puede". Ellos lo saben que al final del día supimos tomar decisiones mejores y más éticas que los asesores, abogados y prestamistas de afuera. Para estar seguros, contamos con hombres y mujeres brillantes, capaces y competentes en los campos de la ley, asesores de negocios y de la banca. Sin embargo, en términos generales la gran mayoría no toma riesgos personales y por eso ellos nunca conocerán la verdadera alegría y satisfacción de estar en las arenas minadas en donde se construyen los imperios. Ellos también tienen momentos difíciles cuando ven la responsabilidad y gratificación de dedicar los recursos propios y las ganancias a causas benéficas.

Durante los oscuros años del 2001 al 2003, cuando los precios de la energía estaban altos y el país experimentaba una recesión, Huntsman, junto con el resto de la industria petroquímica, se encontró en una posición de sobrecapacidad. Pasó todo lo que podía ir mal y estuvimos en el precipicio financiero. Internamente yo estaba desanimado pero trataba de no mostrarlo.

Algunos pocos colegas creían que podía eliminar a los dragones económicos que nos estaban sitiando. Un empleado de alto rango vino a decirme que si yo no buscaba la protección contra la bancarrota él dejaría la compañía. Su expresión a favor de la bancarrota no me molestó. Después de todo él estaba ahí para ofrecer consejo y lo hizo. Él dio un paso adelante cuando dijo que tendría que abandonar Huntsman si yo no seguía la ruta que él recomendaba. Él ya no compartía mis valores. Cuando eso ocurre con un asesor o con un empleado de alto rango, partimos caminos, como hicimos en este caso.

En cada camino de la vida debemos creer que podemos tener éxito, o de hecho, ya habremos fallado. Si un miembro de su equipo deja de creer que usted sabe cómo retener el éxito, esa persona —o usted— debe irse.

> Debemos creer que podemos tener éxito, o de hecho, ya habremos fallado.

Aquellos seres más cercanos emocionalmente, —el cónyuge, un hijo o un padre—, pueden ser nuestros consejeros de confianza debido a que nos conocen mejor. Eso sucede en mi caso con mi esposa, Karen. En donde yo tiendo a tomar decisiones con el corazón, ella lo hace con la cabeza. Se trata de darle enfoques lógicos y no emocionales a los problemas. Ella también es más escéptica que yo. Ella ha visto a demasiadas personas tomar ventaja de mí y demasiados buenos tratos fracasados.

A menudo presento a Karen como la presidenta del presidente, un título que *Forbes* le otorgó en 1988, el cual no es nada ocasional. Ella sabe lo que piensa y lo dice sin rodeos. (Nuestros hijos se refieren a ella con afecto como la "reina madre").

Karen fue la única persona que resueltamente creyó desde el principio que podíamos sacar la compañía del fuego durante la crisis financiera del 2001 a 2003.

No existen duplicados exactos en la naturaleza. Cada humano es único. Cuando buscamos ser como la otra persona perdemos autonomía. La falla es a menudo el resultado de seguir a la multitud. Si el carácter de la persona a quien seguimos carece de fuerza, honestidad y coraje, las debilidades de esa persona se convierten en nuestras. Inversamente, seguir a alguien que exhibe esos atributos, refuerza nuestros atributos y el carácter propio.

Cada humano es único.
Cuando buscamos ser como la otra
persona perdemos autonomía.

Puede parecerle extraño, pero cuando contrato gerentes, nunca pregunto por su promedio de calificaciones o sobre
su posición en la clase. No me interesan sus especializaciones
académicas. Yo evaluó el pasado de la persona, pero solamente buscando señales de integridad, compromiso y valor. Quiero conocer el carácter de la persona que pondré a mi lado, y
este no es difícil de detectar.

Los candidatos ganan puntos por tener trabajos de medio tiempo o de tiempo completo mientras están en el colegio
y la universidad. Eso dice mucho acerca del grado de compromiso que tiene una persona que tiene que costear una parte o
todos sus gastos educativos para logar su título.

Durante mi temporada en la Casa Blanca, interactuaba
diariamente con el Jefe de Personal, H.R. (Bob) Haldeman.
Sólo pasaron unos meses para darme cuenta de la atmósfera
amoral de su lugar de trabajo. Todos querían complacerlo sin
importar a qué costo. Su estilo gerencial solicitaba con des-
potismo únicamente la información que sería aprobada. Ningún miembro decía: "Un minuto Bob, eso está mal".

Haldeman con frecuencia no seleccionaba sabiamente
a sus subordinados pues seleccionaba ayudantes que fueran
incuestionables en su servicio al Presidente, y el jefe de personal determinaba cuál sería ese servicio. Problemas legales
potenciales, desafíos éticos y errores de juicio eran sumergidos o denegados. Yo no era uno de los chicos manejados por
Haldeman y sus colaboradores.

Una noche Haldeman invitó a su equipo a cenar en el yate presidencial, *Sequoia*, una experiencia embriagadora para un joven asistente. Era una linda noche cuando cruzamos el Potomac. A bordo estaban Chuck Colson, Alex Butterfield, John Dean, Jeb Magruder, Ron Ziegler, y Dwight Chapin, cuyos nombres eran parte de su grupo.

Hacía el final de la cena, cuando estaban sirviendo el Alaska al horno, Haldeman preguntó a los reunidos: "¿Qué vamos a hacer con Jon que trabaja todo el día y no juega?". Yo estaba avergonzado. "¿Creen que existe una manera de sacar a Huntsman de su oficina para socializar con el resto de nosotros?", preguntó retóricamente al grupo.

Era y no era una broma. Él había evidenciado mi propensión a mantener mi nariz sobre la piedra de moler, pero también estaba enviando un mensaje. Había estado tratando de introducirme en su círculo privado por varios meses. Por lo pronto, yo no había caído en el anzuelo. Yo asistía a las reuniones y ejercía mis responsabilidades, pero mantenía mi distancia e independencia. No me disgustaba ninguno de ellos, ni siquiera Haldeman. Admiraba genuinamente a algunos de ellos; a otros hasta los respetaba. Pasábamos de14 a 16 horas al día trabajando juntos. Éramos una familia, de todo tipo.

Al final, no quise jugar con esos tipos. No me gustaron las normas bajo las cuales muchos de ellos operaban. Yo opinaba diferente acerca de lo que importaba en mi vida. Mi estilo de vida era menos complejo, no como el de los que se sentaron alrededor de la mesa esa noche. Haldeman quería que me convirtiera en uno de sus chicos. Yo no lo haría.

Siempre he mantenido en alta estima a quienes me informaron cuando ciertos comportamientos o políticas eran inapropiados. Respeto la franqueza. Mi puerta está siempre abierta para buenas o malas noticias. Muchos líderes sólo quieren oír las positivas. Es peligroso ser empleado por tales personas. Aquellos que nunca quieren escuchar malas noticias no quieren saber cuándo están fuera de curso.

> Mi puerta está siempre abierta
> para buenas o malas noticias.
> Muchos líderes sólo quieren oír
> las positivas. Es peligroso ser
> empleado por tales personas.

Tristemente esa es la razón por la cual los medios están llenos de historias acerca de soplones, de individuos que usualmente no son empleados traidores ni inconformes pero se frustraron ante un sistema de alarma interno que no era operacional ni válido. Los de arriba no quisieron escuchar sus malas noticias.

>°

Cada uno de nosotros empieza con una habilidad para ser un líder moral. Desde los padres hasta los gerentes operativos poseemos la sabiduría para ver y apreciar el camino ético y decente. Es el valor lo que separa a aquellos con sabiduría de aquellos que convierten esa sabiduría en acción. Es el coraje, no el título, lo que separa a los líderes auténticos de los que pretenden serlo.

> "Un problema por el que no valga la pena orar,
> no merece preocupación"
> —Desconocido
>
> "Soy un hombre viejo y he conocido
> grandes preocupaciones, pero la mayoría
> de ellas nunca pasaron"
> —Mark Twain

CAPÍTULO OCHO

Enójese pero no se vengue

La venganza no es saludable, es improductiva.
Aprenda a superar y proseguir

E n los años que sucedieron las elecciones del 2000, Al Gore siempre se veía enfadado. Constantemente parecía enfurecido. Sospecho que él aún estaba pensativo sobre el hecho de que recibió más votos populares que su rival George Bush, pero el voto del Colegio Electoral fue para Bush después de que la Corte Suprema afirmara que Bush había ganado en la Florida.

Muchos de nosotros somos así. Hemos sido lastimados emocionalmente una vez o más, de una manera u otra hemos sido heridos por la familia, amigos, colegas, medios de comunicación, políticos —o lo que sea—, y la necesidad de devolver ese golpe amargo se convierte en nuestra primera reacción.

Queremos hacer lo que hizo Ensign Pulver en la película *Mister Roberts*. Él lanzó un gran fuego artificial explosivo dentro de la zona de lavandería de la nave como venganza contra el capitán por hacer la vida del Teniente Roberts miserable.

Existe una vía mejor y más productiva, aunque difícil emocionalmente. La cuestión es simple: imagínese que esa circunstancia también quedará atrás. Y eso hizo exactamente Al Gore, ganó el Premio Nobel de Paz por su trabajo sobre el calentamiento global.

Ponga las circunstancias difíciles en el pasado. Olvídese acerca de remplazar el dinero perdido, ignore al competidor que le dio el golpe bajo, nunca trate de averiguar qué fue lo que falló. Acepte lo que ha ocurrido y siga adelante de forma positiva y digna. Yo fui golpeado por el cáncer dos veces, pero no pienso en eso.

Hace muchos años un hombre de negocios que conocí experimentó una fusión fallida en su compañía. Por consiguiente, fue forzado a vender su negocio a otro oferente con una ganancia más baja de la que el negocio original le habría dejado. En su mente, él perdió imagen.

Entonces se propuso vengarse, sin importar a qué costo. El pensamiento de la venganza era consumidor. Si el nombre de la compañía en la negociación inicial era alguna vez mencionado, aun en una conversación casual, él explotaba. Si sus amigos hacían negocios con esta institución, él trataba de castigarlos. Parecía que el propósito de su vida era la venganza.

Su personalidad cambió. Era un líder brillante pero su enfoque ya no estaba en donde pudiera hacer el bien. Tanta competencia, pasión e impulso perdido. A muchos de sus amigos les parecía difícil compartir con él. Se le olvidó salir adelante. La amargura sólo muerde a quien carga el rencor.

El rencor es física, emocional y mentalmente, agotador. Además es malsano. Ser dirigido por la venganza afecta nuestros corazones y presión sanguínea. Algunos científicos del Huntsman Cancer Institute han desarrollado teorías que sugieren que este tipo de emoción de alto estrés puede producir cáncer en una etapa más temprana de la que de otra manera hubiera surgido.

> El rencor es física, emocional y
> mentalmente, agotador.
> Además es malsano.

Las emociones improductivas son baches en el camino al progreso. Ellas limitan la habilidad propia de seguir adelante, de concentrarnos, pensar de manera positiva, tomar decisiones correctas y actuar de forma creativa. Se desperdician tiempo y productividad.

No reaccionar a los golpes bajos, desaires e insultos requiere más fuerza de voluntad de la que los seres humanos pueden reunir. No retenga sus emociones. Deje salir sus sentimientos. Enojarse por corto tiempo es mucho mejor que un plan largo y costoso para vengarse. Manifieste su reacción de forma rápida, furiosa y espontánea. Ventile su dolor, rabia y frustraciones. Deje que sus emociones salgan. Luego dígase a sí mismo: "Ahora me siento mejor, se acabó, vamos para adelante".

Si usted se parece a mí, necesita enfrentar la realidad con una sensibilidad aguda hacia la crítica. Tenemos una subsecuente necesidad de justificar, explicar y negar firmemente las acusaciones cara a cara. Hace muchos años, concluí que el servicio a la comunidad o al gobierno produce un cierto nivel de críticas de la prensa, por parte de los envidiosos o de las bocas de los adversarios. Enfrente el futuro con las palabras de la figura pública más criticada de América, Richard Nixon: "La adversidad introduce al hombre dentro de sí mismo".

La venganza es contraproducente. Además, todos los baños de sangre eventualmente cesan, por ninguna otra razón que por el colapso del adversario exhausto. Algunos hasta buscan restaurar viejas relaciones. En todo caso, la recuperación final de la inversión debe ser su éxito. Si un competidor de negocios le ha causado daño emocional, canalice sus energías en ganar una mejor porción del mercado y en hacer su compañía más rentable. Si es un desaire político, haga una campaña más fuerte para recoger más votos que su oponente.

La recuperación final de la inversión debe ser su éxito.

Hacer lo mejor es la respuesta más saludable para la mayoría de las cosas. En cualquier forma de vida, una mirada optimista triunfa sobre actos adversos. Sobrepase las molestias e imperfecciones triviales de los demás. Ojalá ellos hagan lo mismo con usted.

Hay ocasiones en las que es prudente poner la otra mejilla, especialmente cuando se trata de cónyuges, miembros de la familia y amigos. La cortesía y el amor son contagiosos y son mucho más efectivos a largo plazo que tratar de arruinar la reputación y bienestar de otro.

Vale la pena ser positivo y optimista en cuanto a su posición. Tratar de volverse vengativo o liderar una campaña de maldad con frecuencia resulta contraproducente. Aquellos que plantan las semillas de la maldad, venganza e injusticia, segaran lo que sembraron. Tendemos a convertirnos en lo que rechazamos.

> Aquellos que plantan las semillas de la maldad, venganza e injusticia, segaran lo que sembraron. Tendemos a convertirnos en lo que rechazamos.

En una ocasión durante la campaña exitosa de mi hijo por la gobernación, en el 2004, me acerqué a su principal oponente para desearle lo mejor. Sus colaboradores habían estado particularmente negativos hacia Jon Jr. durante la campaña. Los miembros del equipo y voluntarios rodearon a su candidato. Se veían tensos. Estreché manos con cada uno y de manera individual los felicité por el trabajo que estaban haciendo. Les pregunté cuáles eran sus profesiones.

Cuando dejé el edificio, uno de ellos me siguió hasta afuera. En privado, él me felicitó por ser generoso e interesado en su bienestar y me preguntó acerca de la posibilidad de pasarse a la campaña de mi hijo.

Cuando nos irritamos, simplemente debemos desahogarnos con un asociado de confianza. No lo interiorice, pero haga que sus despliegues emocionales sean breves pues son estresantes para las personas que trabajan a su alrededor. Resolver los sentimientos nos ayuda a no caer en una posición de venganza. No pierda meses ni años tramando y planeando cómo tomar venganza. La obsesión en el rencor mantiene vivos esos sentimientos; el perdón los obliga a morir. Seguir hacia adelante lo lleva de nuevo a los negocios.

En realidad, tornarse vengativo es una forma de autocompasión. Yo veo la autocompasión como una de las peores debilidades humanas, un virus que termina por incapacitar a personas decentes y efectivas. Mi empleador en el primer negocio que trabajé estaba siempre con rabia contra sus competidores. Estábamos en el negocio de huevo procesado. Él continuamente planeaba cómo hacer que la competencia fallara. Desperdició tanto esfuerzo en esa misión que su compañía sufrió.

Él insistía a su personal en elaborar historias acerca de la competencia en los medios de comunicación. Inventaba cada pensamiento o truco negativo posible para hacer que sus competidores fracasaran. Finalmente murió siendo un individuo patético, prácticamente en bancarrota.

Su amargura fue transmitida a sus hijos. No obtuvo ningún bien de eso. Ni siquiera afectó a las otras compañías, quienes simplemente lo ignoraron y se concentraron en expandir sus propios negocios.

Hoy, uno de sus competidores es el más grande en el campo. Los dueños son billonarios. Mi exjefe esta seis pies bajo tierra y olvidado.

Todas las posibilidades están en contra de lograr la venganza. Intentarlo es un desperdicio de tiempo y genera fricción entre aquellos que amamos y que se preocupan por nosotros. La oración es de ayuda para muchas personas que no logran librarse por sí mismas de un resentimiento. Es calmante, permite el perdón y al mismo tiempo da la fuerza para seguir adelante. Le permite a un ser superior echar una mano, un ser más sabio que los mortales.

Aunque muchas religiones juegan con la noción de venganza selectiva, incluyendo el concepto de ojo por ojo en el Antiguo Testamento, el perdón es un tema más amplio y central. En las religiones orientales, por ejemplo, se cree que mantener un rencor lo restringe a uno de moverse hacia adelante en el viaje espiritual personal.

La oración, hacia quien sea o lo que sea que usted perciba como su deidad, es una buena terapia. Es una fuente de renovación y fuerza. Además, para mí es imposible permanecer enojado mientras oro. Hable de su ira y siga adelante sin rencor, pues la amargura arruina toda la belleza de la vida.

La oración, hacia quien sea o lo que sea que usted perciba cómo su deidad, es una buena terapia.

El resentimiento aumenta la debilidad de una persona. Batallar con los demonios internos puede, por el contrario, traer maravillosas bendiciones. El odio no encaja bien en el corazón humano. Lo que es peor, la mayor parte de lo que nos preocupa o lo que más nos molesta es imaginario. Es el resultado de la ansiedad en nuestras almas. ¿Por qué convertir un error en dos?

No se preocupe por vengar por sí mismo humillaciones personales o heridas. La justicia tiene su forma de atrapar a aquellos que les causan daño a otros y sucede la mayoría de las veces sin nuestra ayuda. Un ejemplo personal:

La justicia tiene su forma de atrapar a aquellos que les causan daño a otros y sucede la mayoría de las veces sin nuestra ayuda.

A finales de los años 80, Huntsman Chemical estaba creciendo rápidamente y buscando vías de diversificación. Sweetheart Plastics, la compañía americana más grande, productora de equipos de confitería: pitillos, tazas de papel, platos y similares, estaba en nuestra mira para negociar con ella debido a que sus productos usaban una gran cantidad de poliestireno y polipropileno, productos manufacturados por Huntsman. Sweetheart Plastics era representada por una firma bancaria agresiva de Nueva York.

Mi equipo y yo habíamos negociado tarde en la noche, finalmente elaboramos un negocio de $800 millones de dólares para la compañía. Cuando lo presentamos formalmente, el jefe de la negociación para el banco dijo: "Para asegurarnos de que usted es el más alto oferente para Sweetheart, debe subir su oferta a $900 millones. Como usted sabe, Jon, tenemos otras opciones".

Yo estaba asombrado, sin mencionar furioso. Habíamos estado discutiendo una venta del rango de $800 millones y habíamos improvisado la financiación para hacer una oferta de esa magnitud. Los inversionistas bancarios estaban haciendo trampa y mintiendo. Pedí un receso.

Regresé a la reunión a media noche para anunciar que no pagaríamos un centavo más de los $800 millones acordados. Sweetheart estaba totalmente avaluado y el negocio se haría rápido.

"Piénsalo bien Jon" repitió el negociador, "$900 millones y el negocio es tuyo". Me retiré y no regresé. Estaba furioso pero seguí adelante. La siguiente oferta más alta para Sweetheart fue de $660 millones, de un equipo de gerencia interno que no sabía cómo operar el negocio ni había hecho el paquete financiero correcto. Estaba lejos de ser un negocio encantador.

La avaricia le costó a la institución $140 millones y un pleito con los accionistas. *Forbes* y *Wall Street Journal* publicaron historias acerca de ese negocio. A los dos años Sweetheart fue vendida de nuevo, esta vez por $445 millones. Eventualmente, a los accionistas les quedó el 50% de la oferta original.

Con esto compruebo mi teoría.

El nacimiento de la muerte política de Richard Nixon fue su inhabilidad para seguir adelante. Él mantuvo los resentimientos, se sintió obligado a hacer venganza. Ya sea su paranoia oscura sobre los llamados "enemigos" o su lucha con viejos fantasmas, lo destrozaron y alteraron la Historia.

A menudo me pregunto, si de alguna manera, pude haber cambiado algo de eso si hubiera influenciado en el modo de pensar de Nixon.

De cerca y sin el beneficio de la retrospectiva o de la perspectiva histórica, fue difícil para mí en el momento detectar cómo era de profundo y sociopático su desprecio por algunos políticos, y en especial por algunos grupos de interés y miembros de los medios de comunicación.

Asumimos que las personas exitosas o reverenciadas no tienen demonios alrededor como el resto de nosotros. Sí los tienen. Cuando se trata de rencores, todos hemos cargado algunos por demasiado tiempo. Lo que separa a los ganadores de los perdedores es qué tan rápido desvanecen esos demonios.

Préstele atención a esa voz interior que dice: "La vida es corta. Siga adelante. Camine animado".

> "No es posible ser atento demasiado pronto, pues usted nunca sabrá que tan pronto es demasiado tarde".
> —Ralph Waldo Emerson
>
> "Viajar es fatal para el prejuicio, la intolerancia y la estrechez mental. Una visión amplia, saludable y caritativa de los hombres y las cosas no se puede adquirir vegetando en un pequeño rincón de la tierra toda la vida".
> —Mark Twain

CAPÍTULO NUEVE

La amabilidad es cercana a la divinidad

Trate a sus competidores, colegas, empleados y clientes con respeto.

Pocos rasgos humanos son tan importantes para las relaciones con los demás como la bondad. Esta incluye amor, amabilidad, sensibilidad y caridad, las cualidades de las personas que tienen una gran fe interior. La capacidad propia para ser amable, decente y considerado es la manifestación de la piedad, una actitud que ha ganado el respeto de hombres y mujeres de todas las creencias y orígenes.

En nuestra niñez nos enseñaron a ser amables con los demás como una cuestión de hábito. La lección no siempre quedó arraigada en la adultez. La decencia está ausente en el mundo altamente competitivo de los negocios, en las arenas políticas y en los eventos deportivos. No debería estarlo. Usted puede ganar con bondad y decencia. Ganar con clase no es una definición en contradicción consigo misma.

Quizá algunas personas nacen con genes de bondad y adoptan la amabilidad con más facilidad que otras, pero como en el golf, podemos intentarlo. Utilizo las palabras amabilidad, bondad y caridad como sinónimos, aunque los diccionarios analizan sus definiciones. Me he dado cuenta que "benevolencia" aparece en la descripción de las tres palabras. Estas son muy cercanas para mí porque las tres requieren de un grado sustancial de calidez y autenticidad.

Quizá algunas personas nacen con genes de bondad y adoptan la amabilidad con más facilidad que otras, pero como en el golf, podemos intentarlo.

132

Mi madre nunca pudo hablarle de manera indecorosa a los demás. Ella tenía bondad con todos, creyendo que no hay diferencia alguna entre blancos y negros, cristianos e hindúes, hombres y mujeres, ricos y pobres. Todos somos hijos de Dios, debemos ser tratados con amor y respeto. Mi madre nunca dio un sermón acerca de actuar con bondad, nunca escribió un ensayo, ni siquiera lo discutió en sentido formal. Simplemente vivió la bondad todos los días de su vida, por supuesto, el ejemplo más efectivo de todos. La frase poderosa de Francisco de Asís: "Predique el evangelio, aún si tiene que usar palabras", viene a mi mente.

Su vida era un libro de enseñanza modelo que yo he tratado de imitar, a pesar de los inconvenientes evidentes. Kathleen Robinson Huntsman nació y fue criada sabiendo que la amabilidad es una prioridad que debe practicarse toda la vida. Su padre era igual. Al abuelo Robinson le dolía cobrar por los servicios prestados (hablaré más acerca de su caridad en el Capítulo Doce). Obviamente, él no fue rico, pero todo el mundo lo amaba. Su corazón e intenciones eran puros. Mi madre aprendió mucho de su padre y yo de mi abuelo.

No conozco a ninguna persona exitosa que no demuestre algo de decencia. Existen algunos que aparentan éxito en la superficie pero que en realidad son individuos egoístas e infelices carentes de motivación y capacidad para amar. Es una pena que ellos nunca experimenten la alegría de ser amables con otros.

Durante mi último año en Palo Alto High School fui elegido Presidente del Consejo Estudiantil. Mi plataforma de campaña buscaba darle a cada estudiante atención y reconocimiento. Tuve numerosas oportunidades de practicar lo que predicaba, pero el ejemplo sobresale por encima de todo lo demás.

Ron Chappel era un compañero de clase. Desfigurado y con una pierna artificial, él se veía demacrado y solitario.

Siempre se sentaba solo en el rincón de la cafetería cuando no estábamos en clase. Lo había visto, pero había hecho poco esfuerzo para tener una conversación con él. Por cualquier razón, un día me levanté de la mesa de mis amigos y caminé hacía la mesa de Ron. Me senté y entablé una conversación.

Continué esa rutina durante una semana hasta que gradualmente otros se nos unieron. La mesa de Ron se convirtió en el lugar "in" de la cafetería. Expandimos su inclusión a actividades sociales y deportivas. Se convirtió en el director de nuestro equipo. Su último año fue el mejor año de su vida. Al año siguiente, me destrozó saber, por medio de su madre, que había fallecido.

Karen y yo hemos sido bendecidos con 9 hijos, que nos han dado en retorno, cuando escribo estas líneas, 56 nietos. Nuestra familia es la corona de la vida de Karen y la mía. Nuestros hijos se aman unos a otros, son competitivos y sin embargo se llevan a las mil maravillas.

Nuestro hijo menor, Mark, quien nació en 1975, tiene varias limitaciones mentales. El médico nos dijo que nunca podría leer, escribir o ser capaz de asistir al colegio, que su edad sería permanentemente como la de un niño de 4 años. Nos sentimos devastados con la noticia, como la mayoría de los padres estarían, pero a lo largo de los años él nos ha enseñado mucho.

Mark no sabe cuál es nuestro origen o estado en la vida, ni si una persona es republicana o demócrata, si gana un salario mínimo o $10 millones al año, o si uno va a la iglesia los domingos, eso le importa poco a él. El guardián de la compañía y el gerente operativo reciben el mismo trato. Mark juzga a las personas por la bondad de su corazón. Él puede medir a los individuos rápidamente. Si su corazón es bueno, les da un gran abrazo.

Él no es fácilmente engañado en este asunto. Uno no puede ser mentiroso y ser considerado amigo de Mark. Él descubre la falsedad de inmediato. Aunque su vocabulario es limitado, se comunica efectivamente. Sus amigos son numerosos. Son individuos que tienen la habilidad de mostrar la pureza de sus corazones, su bondad y su amabilidad.

Muchos dirían que no hay lugar para la bondad y la regla de oro en los negocios, política, deportes u otro escenario competitivo. Sólo cuentan los resultados. ¡Me uno a Mark diciendo tonterías! Como tratemos a otros será nuestro epitafio.

Habiendo hablado en cientos de funerales en mi vida, he descubierto que los comentarios finales hablan mucho del fallecido. Sería una experiencia fascinante escuchar por adelantado lo que dirán en nuestro elogio. Algunas palabras se desperdician hablando sobre los logros académicos, profesión o riqueza. Las familias reciben el mejor lugar en la vida del occiso, pero la característica más resaltada es cómo el fallecido trató a los demás.

Nos haría tanto bien pensar en lo que se dirá en nuestro elogio. ¿Será similar a la manera en que nos vemos a nosotros mismos? ¿Y lo que se mencione en esos elogios informales será enviado al vecindario, el lugar de trabajo y será susurrado en los bancos de la iglesia después de su muerte?

Todos los días se escriben elogios. Cuando finalmente sean presentados, obviamente no estaremos en forma física para refutarlos. Empiece hoy, ahora mismo, a trabajar en su reputación de bondadoso. Sólo usted puede moldear el contenido de su próximo elogio.

Todos los días se escriben elogios.

Los negocios también tienen reputación. Muchas compañías son reconocidas por sus valores, por las relaciones cliente y empleado, espíritu innovador y esfuerzos filantrópicos. Las recientes caídas de Enron, Tyco, WorldCom y otras compañías tan notables, nos recuerdan que la decepción, avaricia e indecencias diversas están presentes en el nebuloso mundo corporativo.

Una vez tuve el placer de estar en la presencia del Dalai Lama. Él hizo una observación importante: "La acumulación de riqueza únicamente por tenerla es autoderrotarse. Solamente viendo el trabajo de uno como un llamado, un medio para servir a un propósito mayor, encontraremos verdadero contentamiento".

En otra ocasión dijo: "Relaciónese con los demás con calidez, con afecto humano, honestidad y compasión." Amable consejo.

La mayoría de compañías e individuos buscan éxito y respeto. Para alcanzar esas metas se necesita un sentido de compasión y un deseo por hacer felices a los demás. La felicidad es tan importante para nuestras vidas. Generalmente viene a nosotros cuando intentamos hacer felices a otros. La bondad atrapa.

En su libro, *There Is No Such Thing as Business Ethics*, John Maxwell sostiene que en el mercado de hoy, el 70% de las personas deja sus trabajos porque no se siente valorado. Es una indicación de cómo muchos ejecutivos y directores tratan pobremente a sus empleados. Cada uno quiere ser valorado para saber que es tenido en cuenta. Las personas necesitan ser apreciadas, confiables y respetadas en todas las áreas de su vida.

Maxwell sostiene que sólo una regla es necesaria para gobernar la toma de decisiones éticas y esa es la Regla de Oro: Tratar a los competidores, la comunidad, empleados y amigos con la misma cortesía con la que quisiéramos para nosotros mismos.

¿Como me gustaría que me trataran en esta situación? Es todo lo que uno necesita preguntarse en la mayoría de los casos.

La Regla de Oro es una guía para la vida en todas las culturas que conozco. Muchas personas se sienten familiares con el "haz a los demás" del Nuevo Testamento. Puede sorprenderse como las religiones del mundo ven este concepto de manera similar.

El confucianismo afirma: "No le haga a los demás lo que no quiere para usted mismo". Los zoroastrianos aprenden que "si usted no quiere ser maltratado por otros, no maltrate a nadie". Los musulmanes enseñan que nadie es un verdadero creyente "hasta que desea para su hermano lo mismo que desea para él mismo". El hinduismo advierte que nunca "se comporte con los demás en una forma que sea desagradable para uno mismo". La Torah dice: "Lo que es detestable para usted, no se lo haga a su vecino. Esta es toda la Torah; el resto son comentarios. Vaya y apréndala".

Existen otras maneras de ver la Regla de Oro. Mi difunto amigo, el hombre del petróleo, Armand Hammer, fue una figura mundial controversial durante la mayoría del siglo XX debido a su relación cercana con la Unión Soviética. Él creía que podía tratar con las naciones comunistas más efectivamente a través del comercio que batiendo sables.

Ambos viajamos juntos a la antigua Unión Soviética en varias ocasiones. Sus historias eran legendarias y hasta verdaderas. Sin embargo, durante nuestra reunión inicial en la sede principal de su compañía en Berverly Hills, vi una señal en la pared detrás de su escritorio que decía: "La Regla de Oro: quien controla el oro, hace las reglas".

Ese no es mi estilo.

Todos conocemos personas con las que nos encanta compartir. Nos llenan de inspiración y alegría. Mi amigo Mark Rose es una de esas personas. Nunca lo he escuchado decir una palabra negativa acerca de otra persona. Siempre sonriendo y positivo, nunca habla de sí mismo. Los otros son el centro de su enfoque. Como resultado, él vive en paz consigo mismo.

La gente bondadosa hace una diferencia verdadera en nuestra vida. Desafortunadamente, también la gente que se viste de autocompasión, arrogancia y autoimportancia. Ellos no escuchan. La mayoría están hablando tan rápidamente acerca de ellos mismos que rara vez aprenden algo nuevo.

He descubierto en mis negocios con el Congreso de los Estados Unidos que los buenos escuchas son escasos. Los oficiales elegidos viven en una burbuja cerrada en donde son atrapados por su propio sentido de importancia. Se comunican en lenguaje de balbuceo. Es esa clase de atmósfera que ha quedado como resultado de las contiendas y amargas relaciones entre republicanos y demócratas.

Yo tengo en alta estima a aquellos hacedores de paz y estadistas que mantienen el sentido de humildad, amabilidad y bondad. Una cierta cantidad de almas tan nobles residen en Capitol Hill, pero me temo que se están convirtiendo en especies en vía de extinción. Afortunadamente, hay señales de que algunos políticos preocupados se han dado cuenta de que este es un intento de forjar una civilización nueva, más civilizada y una atmósfera más respetuosa políticamente que sirva mejor a los intereses de nuestra nación.

En el 2003, la revista *Parents* realizó una encuesta sobre las cualidades que los padres más desean inculcar en sus hijos. Los ganadores fueron los buenos modales y la fe religiosa. Y como modales, estos padres quisieron decir comportamiento que involucra a otras personas, respetar a los demás y ser considerados.

No es para sorprenderse que de todas las vocaciones, las personas más decentes y bondadosas se encuentren en escenarios religiosos. Los dos líderes fallecidos de dos religiones, Gordon B. Hinckley Presidente de la Iglesia LDS (La Iglesia de Jesucristo de Los Santos de los Últimos Días) y el Papa Juan Pablo II se destacan para mí.

A principios de los años 90 conocí a Juan Pablo II en una reunión en el Vaticano, arreglada por el Cardenal Roger Mahony de Los Ángeles. (En esa época, yo, un dador de diezmo y devoto mormón, era el segundo más grande dador a las caridades católicas de la Diócesis de la Ciudad de Salt Lake). El Papa tomó mi mano y me agradeció por mi ayuda a los necesitados. "Nunca antes había conocido a un mormón", dijo "quiero felicitarte en todo lo que haces por ayudar a otros".

Me quedé momentáneamente sin palabras, sin mencionar que también con algo de lágrimas, pero le pude responder: "No había conocido a Su Santidad antes y deseo expresar mi amor por usted de la misma manera". Él sabía muy bien lo que la amabilidad con otros trae. Él es uno de mis héroes.

El líder de mi iglesia, el Presidente Gordon Hinckley, quien era un amigo cercano por más de tres décadas, era también un líder con un notable sentido de la bondad. Él empezaba casi todas las conversaciones con un cumplido. Entiendo por qué él es tan amado. Él ha sido mi modelo de roles, así como su sucesor, Thomas S. Monson, otros amigo cercano, que se mantuvo como Presidente y profeta en el 2008.

Mientras yo aprendía un sistema básico de valores de aquellas personas cercanas a mí cuando niño, mi iglesia me proveía con una fuente continua de renovación de esos principios. Cuando usted intente jugar los juegos de la vida siguiendo las normas, no es de ayuda separar a la familia de la fe y de la profesión.

> Cuando usted intente jugar los juegos de la vida siguiendo las normas, no es de ayuda separar la familia de la fe y de la profesión.

~

Nadie vive o muere por sí mismo. En su día, Andrew Carnegie hizo a otros 38 hombres millonarios. Esa clase de precipitación financiera ha continuado hasta el día de hoy con los éxitos de los grandes negocios, incluyendo el mío, enriqueciendo a otros. Inversamente, cuando los negocios quiebran, tratan de llevarse a otros por delante. Los empleados pierden su trabajo, los proveedores pierden negocios y los acreedores pierden dinero.

Cada uno de nosotros tiene una participación en los logros y fallas de aquellos que nos rodean; cada uno tiene un interés en los actos de los otros. Cuando una persona embellece al vecindario, la comunidad entera mejora. Cuando el gerente se tropieza, los socios fracasan. Al igual que la marea que levanta todos los barcos, nadie puede levantar a otro sin ser primero levantado.

> Cada uno de nosotros tiene una participación en los logros y fallas de aquellos que nos rodean; cada uno tiene un interés en los actos de los otros.

Siempre he valorado las notas escritas a mano y las llamadas personales que llegan durante los tiempos de estrés físico y emocional. De alguna manera, tales expresiones parecen más personales y significativas que un correo electrónico.

Los capitanes de la industria, gerentes exitosos, líderes políticos, jerarcas religiosos y padres efectivos, sacan ventaja de la comunicación personal cuando expresa apoyo o aprecio y ellos generalmente no esperan a una situación de crisis.

Nuestra compañía tiene más de cien centros de producción, distribución y ventas alrededor del mundo. Me encanta visitar nuestras plantas, aunque no sé como manejar los equipos ni entiendo las fórmulas químicas de nuestros productos (pero aún soy muy buen vendedor). Les dejo eso a los expertos. Lo que yo abrazo es a las personas.

Las relaciones con los empleados son el centro de los negocios exitosos. El trabajo desarrolla una mala actitud hacia la gerencia cuando los ejecutivos pasan más tiempo en el Country Club que en las plantas de producción. Los más altos empleados de las compañías grandes y pequeñas deben encontrar oportunidades para ir de empleado en empleado agradeciéndole a cada uno por sus contribuciones individuales.

Una investigación sugiere un vínculo entre la falta de civismo y la violencia. Cerca de dos millones de actos de violencia de algún nivel ocurren en el lugar de trabajo anualmente en América, principalmente por la gente que cree que la gerencia o los colegas los desprecian.

Los líderes deben incitar en otros un sentido de ayuda social, aprecio y lealtad. Si uno hace esto de manera exitosa, los otros serán levantados hacia grandes logros. Déjeme asegurarle, ver los sueños cumplirse es una de las más grandes alegrías del liderazgo.

Ver los sueños cumplirse es una de las
más grandes alegrías del liderazgo.

Me identifico con las palabras de Thomas Jefferson cuando, en la Declaración de Independencia, escribió: "Como apoyo a esta declaración, comprometemos mutuamente nuestra vida, nuestra fortuna y nuestro sagrado honor". Estaba claro para Jefferson que todo hombre y mujer comparte los éxitos de otros. Para Jefferson el apoyo mutuo era esencial.

En muchas ocasiones, he recitado este poema de John Donne, *"Ningún hombre es una isla (No Man is an Island)"*. Me trae esperanza y alegría. Permítame dos versos:

"Ningún hombre es una isla,

Ningún hombre está solo;

La alegría de cada hombre es alegría para mí,

La pena de cada hombre es mía.

Nos necesitamos unos a otros,

Así que defenderé

A cada hombre como a mi hermano,

A cada hombre como a mi amigo".

Si pudiéramos tan sólo expresar estas palabras notables a los que están en nuestros hogares, en nuestros lugares de adoración, en nuestro negocio y en nuestras asociaciones, la paz habitaría en nuestras almas y por lo tanto el mundo sería un mejor lugar.

"Ninguno de nosotros es tan inteligente
como todos nosotros".
—Proverbio japonés

"Dame a un niño por los primeros siete años, y
después podrás disponer de él como quieras".
—Máxima jesuita

CAPÍTULO DIEZ

Su nombre está en la puerta

Maneje los negocios y las organizaciones como si le pertenecieran a su familia.

M i hermano Blaine y yo empezamos el negocio familiar en 1970. Huntsman permaneció como compañía familiar por 35 años y eventualmente se convirtió en la más grande de América. A inicios del 2005 decidimos volvernos una entidad pública como una forma de reducir la deuda con capital nuevo e incrementar la filantropía de Karen y mía. Mi familia continúo operando Huntsman Corp. de manera similar que cuando lo hacíamos de forma privada debido a que seguía llevando nuestro nombre.

Aunque empezamos este nuevo camino con la mejor de las intenciones, me entristece que las complejidades de tener una empresa propia o la necesidad de capital adicional obliguen en determinado momento a muchos negocios familiares a enfrentar la misma decisión. Esto no significa que las empresas familiares se vayan a acabar o que el cambio sea necesariamente malo, pero el tema me causa cierta ansiedad.

La familia es la unidad básica de la sociedad. Como tal, es la base para la prosperidad, el orden, la felicidad y los valores sociales. Los negocios son parecidos a las familias. Estas mismas aspiraciones que acabo de mencionar también deben ser la base de los negocios y son más fácilmente alcanzables cuando la empresa es familiar, pero el gerente operativo de una empresa pública debe operar como si su apellido estuviera en la puerta de entrada del negocio.

Algunas familias son grandes y otras son pequeñas, algunas son poco tradicionales, pero es en el escenario familiar en el que se recibe la mayor parte de la educación y en donde se aprenden los valores para toda la vida. No es difícil entender por qué mi hogar es mi enfoque y por qué las decisiones cruciales en Huntsman Corp. han sido tomadas dentro del círculo familiar.

La riqueza y el poder son considerados por muchos como una causa de la división familiar. Ese no es mi caso. Vi a los seis hijos de mis abuelos disputarse una propiedad de $30,000 dólares. Los ricos tienen poco de qué preocuparse por la cohesión de la familia.

Cada uno de nuestros hijos, a su propia manera, ha experimentado los ataques al corazón, dolores y desafíos de nuestro negocio. Ellos han sido estudiantes astutos de la vida y han sabido desde el principio que no existe aquello del toque del Rey Midas (la habilidad de hacer, manejar y guardar gran cantidad de dinero). La realidad en este mundo es de trabajo duro, preparación, negociación, determinación, compromiso, honestidad y misericordia.

Cuando sea posible, el lugar de trabajo debe ser una extensión de la familia, un lugar en donde el aprecio por la decencia, el respeto y los valores básicos, sean fomentados bajo la norma del comportamiento moral apropiado.

La descripción de Jay Kenfield Morley acerca de la vida resume qué tan importante es que el lugar de trabajo sea una extensión del hogar: "La receta para la felicidad es tener el dinero suficiente para pagar las cuentas mensuales adquiridas, un pequeño sobrante que nos permita sentirnos confiados, demasiado trabajo cada día, entusiasmo por nuestra labor, una parte importante de buena salud, un par de verdaderos amigos, y una esposa e hijos con quienes compartir la belleza de la vida".

Mi padre era un profesor de colegio en un área rural de Idaho. Nuestra primera casa era de 2 habitaciones y necesitábamos hacer una caminata de 40 pies para llegar al excusado ubicado en el exterior de la casa, bastante desagradable en invierno pero típico para una familia rural a finales de los años 30.

Llegó el momento en que mi padre se fue a la Segunda Guerra Mundial, como muchos otros padres de esa época. Cuando regresó, construimos una pequeña casa en Pocatello, Idaho. Pocos años más tarde nos trasladamos a California para que él pudiera hacer su doctorado en Stanford. Nuestra residencia por 3 años fue en una cabaña prefabricada dividida en 16 "apartamentos", cada uno de aproximadamente 600 pies cuadrados y separados por paredes hechas de cartón pesado. Con mis padres y 2 hermanos, los cuartos eran estrechos y vergonzosos para un adolescente, pero era nuestro hogar.

En 1959 me casé con mi querida Karen y tuvimos 3 hijas y 6 hijos. Nuestro hogar ha sido un lugar de confort, amor y tranquilidad. Sé que no todos los hogares del mundo son así. He observado en mis viajes muchas situaciones domésticas difíciles en donde la vivienda es lastimosamente inadecuada. Las familias viven en cajas, chozas de hojalata, carpas u otras formas provisionales. Es emocionalmente difícil visitar esos lugares.

En las reuniones con mis empleados enfatizo que la familia es lo primero. He insistido que nuestros lugares de trabajo en la compañía traten de ser una extensión del hogar. Muchos ponen los ascensos en la profesión y la acumulación de riqueza primero que la familia, argumentando que estarán al lado de la familia el próximo año. El próximo año nunca llega y se hizo demasiado tarde para la familia, para cumplir con ella y tener éxito.

Durante una visita reciente a una de nuestras plantas en Scarlino, Italia, les enfaticé a los empleados que su mayor preocupación en la vida no debe ser su trabajo sino su familia. Ellos escucharon a través de un intérprete y parecían complacidos por la exposición positiva de su empleador acerca de la familia. Cuando terminé, se levantaron y aplaudieron. Un cínico diría que hicieron eso para impresionar al jefe y que habrían estado más felices si les hubiera leído a Shakespeare. No lo creo. Esos empleados parecían profundamente movidos a medida que fui de uno en otro, dando pequeños abrazos y apretones de mano.

Recientemente, cuando di un discurso similar en Malasia, todos los empleados aplaudieron y parecían complacidos. Ellos aman a sus hijos tanto como yo amo los míos. Sus familias son su prioridad como la mía lo es para mí. Ellos entendieron exactamente lo que yo estaba diciendo y porqué lo estaba diciendo.

Lo mismo ocurre en China, Sur África, Armenia, Australia o en cualquiera de los 55 países en donde Huntsman tiene operaciones de fabricación o distribución. El lugar del mundo donde uno vive no hace la diferencia. Todos queremos sentirnos observados, respetados y valorados. Desafortunadamente, las corporaciones grandes tienden a ser dirigidas de manera impersonal y a eso se debe que son percibidas frecuentemente por los empleados como lugares estériles y descuidados. Operar un negocio como si fuera suyo requiere un toque más personal.

> El lugar de mundo donde uno vive no hace la diferencia. Todos queremos sentirnos observados, respetados y valorados.

Los empleados quieren estar seguros de que el dueño o el gerente de su lugar de empleo realmente se preocupan por ellos. ¿Cómo puede uno convencer a los empleados de que son valorados si sus familias son omitidas de esa preocupación?

La mayoría de los empleados quiere escucharlo directamente al dueño o cabeza de la compañía. Lo primero que resalto es la responsabilidad preminente que tiene el líder con las familias y seres amados de cada uno de sus colaboradores. Si hay éxito dentro de las paredes de nuestros hogares, tendremos un mejor desempeño en la actividad profesional. Trabajamos en un ambiente más seguro y feliz. Si tenemos paz en nuestra vida personal, somos más exitosos y encontramos mayor satisfacción en el trabajo.

Karen y yo empezamos a incluir a nuestros hijos en las discusiones sobre el negocio de la familia cuando ellos estaban en la escuela primaria, pero insistimos en 2 normas:

Norma 1: *En el negocio de la familia, revise su ego en la puerta. No hay espacio para el autoengrandecimiento ni la autopromoción. Cada uno conoce las habilidades y deficiencias de los otros. No hay secretos. El éxito del negocio familiar descansa en la confianza, el respeto y el amor.*

Norma 2: *Anime a los demás. Busque la buena fortuna para la otra persona primero. La mayoría de los negocios familiares terminan en desorden debido a los intereses egoístas de uno u otro miembro familiar.*

La comunicación efectiva es esencial. Los padres deben hablarse uno al otro abierta y honestamente acerca de los negocios y especialmente acerca de la planificación del patrimonio. Los padres deben educar a sus hijos en esas áreas. Testamentos secretos o títulos secretos después de una muerte siempre resultan en fraudes familiares o pleitos legales.

Les aseguré a mis hijos, después de que la mayoría empezó a trabajar en el negocio familiar, que primero soy padre antes que presidente. Las empresas familiares se salen del camino cuando los padres ponen los negocios por encima de la familia.

Los empleados deben ser tratados como iguales. Cuando la compañía es exitosa financieramente, debe compartir su ganancia con los empleados, la comunidad y los clientes, así como lo hace con los dueños y accionistas. El mercado parece cada vez menos considerado es este punto, con la excepción obvia de los paquetes especiales para la alta gerencia que han ido incrementando 4 ó 5 veces más rápido que la compensación de sus empleados por rango y posición.

Ya sea que uno dirija una compañía familiar o sea el gerente operativo de una compañía pública, se deben identificar las maneras de reconocer y dar crédito a todos los otros niveles de la organización. La vía más segura para el éxito es aquella en la que los demás caminan con usted. Las plantas y los equipos pueden ser remplazados fácilmente; los empleados leales, fuertes trabajadores son tan valiosos como las piedras preciosas. Son esenciales para cualquier éxito. Si los gerentes operativos son la cabeza de la organización, los empleados son el corazón y la cultura corporativa es el alma empresarial.

Cuando se da un comportamiento antiético o inmoral dentro de una organización, ya sea de negocios, caridad, iglesia o un equipo, el hecho impacta inmensamente a todos los vinculados, es el mismo efecto que tiene un hijo pródigo o un esposo infiel sobre una familia.

Si los altos ejecutivos fallan en el seguimiento de sus brújulas morales, ¿cómo vamos a esperar que quienes ellos dirigen se adhieran a los valores morales? Y si los empleados no se interesan por la ética o la moralidad en el lugar de trabajo, ¿cómo esperan ellos que sus hijos sean diferentes? Todo el mundo pierde.

La vía más segura para el éxito es aquella en la que los demás caminan con usted.

Es por esto que es fundamental que los empleados conozcan y compartan los valores corporativos. Ellos deben saber, por ejemplo, que la cultura corporativa dicta que una porción considerable de las ganancias será devuelta a la sociedad y porqué. Ellos deben entender la verdadera medida del éxito, tanto para ellos de manera individual como para la compañía, no es solamente cuánto uno adquiere para sí, sino también cuánto da en retorno.

Recuerdo una visita a una planta de Huntsman en el oriente de Canadá hace varios años. Acababa de salir de una reunión en la iglesia y mis pensamientos estaban todavía centrados en el mensaje que había escuchado más que en lo que les iba a decir a nuestros empleados, así que empecé recordándoles que deben caminar por fe y no por vista.

Expliqué que si tenemos fe en los seres humanos, habrá menos accidentes y violaciones de la seguridad. Si tenemos fe en los demás, como resultado aparecerán el amor fraternal y las relaciones alegres. Si tenemos verdadera fe no necesitaremos vista. Seremos levantados por nuestros amados y nos convertiremos en personas más fuertes y efectivas. No sentiremos autocompasión ni haremos extravagancias. Nuestras necesidades serán satisfechas.

Cuando terminé me di cuenta que no mencioné una sola palabra acerca de la productividad de la compañía, los costos o las ventas. De alguna manera, lo que dije cubría indirectamente esas áreas operativas. Las metas realistas son alcanzadas cuando los responsables de ellas están comprometidos.

Mejor aún, todas las personas quieren conocer los verdaderos sentimientos de sus líderes, junto con las noticias acerca de cómo avanza la organización. En verdad no es posible tener una buena visión de la organización sin conocer los sentimientos de la persona que la lidera.

El ambiente creado por un gerente y su equipo gerencial tiene más impacto sobre los empleados del que uno cree. La gente trae lo mejor de sí misma cuando escucha y ve lo mejor de sus líderes.

Al pasar de los años hemos otorgados miles de becas estudiantiles a los hijos de nuestros empleados. Ha sido una alegría conocer a muchos de esos estudiantes y recibir invitaciones a las graduaciones de colegio o universidad de nuestros becados. Cuando somos parte de las familias de los empleados la moral se vive en su nivel máximo. ¿Quién no se emociona cuando sus hijos tienen éxito? Y cuando alguien se siente bien, la productividad en su lugar de trabajo lo demuestra.

❧

A medida que Huntsman Corp comienza su nuevo capítulo como compañía pública, algo de la atmósfera familiar puede desaparecer. Muchos accionistas públicos no son tan altruistas como deberían porque sólo desean un retorno rápido de su capital de inversión. Es una lástima. Los mayores dividendos son aquellos pagados a hombres y mujeres que son grandes trabajadores a través de bonos, regalos, becas y oración. Público o privado, todavía lo consideramos como un negocio familiar, después de todo, nuestro nombre está en la puerta.

> Los mayores dividendos son aquellos pagados a hombres y mujeres que son grandes trabajadores a través de bonos, regalos, becas y oración.

Todas las compañías públicas o privadas deben crear una cultura en la cual los empleados estén en primer lugar y sean tratados como a la realeza. Créame, ellos siempre devuelven esa deferencia.

"Averigüe cuánto le ha dado Dios y de ahí tome lo que necesita, lo que le queda, otros lo necesitan".
—San Agustín

"Somos simplemente los administradores de lo que nos ha sido dado temporalmente en esta tierra. Compartámoslo con otros".
—Andrew Carnegie

"Un hombre envuelto en sí mismo hace un bulto muy pequeño".
—Benjamin Franklin

CAPÍTULO ONCE

La obligación de devolver

Nadie se hace solo.
Retribuya los favores
recibidos y su buena fortuna

155

D ar es mi tema favorito. Casi no sé por dónde comenzar. Iniciemos con una revelación perturbadora acerca de un Presidente que admiro y respeto grandemente, Richard Nixon. Como asistente especial y secretario del personal de la Casa Blanca, vi detalles de sus notificaciones de impuestos antes que los rembolsos del IRS (Servicio de Impuestos Internos) fueran expuestos al público. En 1971, por ejemplo, Nixon solamente donó $500 dólares a la caridad con un ingreso declarado de $400,000. Yo estaba perturbado. Para mí, esa miseria era más gravosa que el mismo Watergate.

La filantropía debe ser el ingrediente principal de la receta personal para la ganancia material. Sin importar en qué área, ninguna estrella protagonista de alguna historia de éxito es alguien hecho totalmente por sí mismo. A lo largo del camino todos recibimos ayuda de otros; muchos hemos sido beneficiarios de los golpes de la suerte. Todos poseemos una parte del éxito de otros, incurriendo en una deuda en el proceso, y la única forma de devolver esa ayuda es compartiendo nuestra buena suerte con los demás.

Sin importar en qué área, ninguna estrella protagonista de alguna historia de éxito es alguien hecho totalmente por sí mismo.

Se me pone la piel de gallina al pensar en las bendiciones que he recibido en mi camino. No siempre fue así. Durante años el zapato estuvo puesto en el otro pie. La gente compartía lo que tenía con la familia Huntsman. Mi tío, mi abuelo y mi madre me enseñaron el arte de dar.

El tío Lon sólo había estudiado hasta sexto grado. Él era un granjero marginal de Utah que se jactaba de sus pocas posesiones. Cuando cumplí 8 años me regaló su reloj de bolsillo que era uno de esos antiguos con manecillas grandes y una cadena (el tío Lon jamás usó reloj de muñeca, yo tampoco). Lo llevé orgulloso a la escuela y durante todo ese día en el salón de tercer grado saqué ese magnífico reloj para ver la hora. No podía creer que poseía ese maravilloso reloj que alguna vez perteneció a mi tío favorito.

Unos años más tarde, cuando mis padres estaban teniendo dificultades, mi tío me dio un par de zapatos suyos. Los míos estaban acabados. Con los zapatos de mi tío Lon puestos me consideraba a mí mismo la persona mejor vestida de la clase. Aquellos zapatos de granjero difícilmente eran lo último en la moda, pero no me importó. Los adoraba.

Mi madre tenía poco en cuanto a bienes materiales, pero ella sabía que yo amaba el postre de limón, especialmente el que ella hacía con ralladura. En su mente, hacer un *pie* era la mejor forma tangible que podía hacer por mí. Cada cierto día, un postre de limón me esperaba cuando llegaba a casa de estudiar.

Mencioné al padre de mi madre, el abuelo Robinson en un capítulo anterior. Él era dueño de un pequeño hotel en Fillmore, Utah, desde los años 20 hasta los años 50. Las habitaciones en esos días previos a la II Guerra Mundial, eran cabinas individuales. Un motociclista pagaba de $3 a $4 dólares la noche por quedarse en la cabina. No tenía baño interno pues estaban ubicados en un pequeño corredor detrás de las cabinas. Cuando mi abuelo se enteraba que una familia estaba luchando económicamente, les cobraba $1 dólar por noche. En muchos casos, cuando venían a pagar en la mañana, él les decía: "Está bien. Algún día quizá ustedes puedan retribuirle el favor a alguien más".

Cuando éramos niños fuimos enseñados a compartir, y compartir por igual. Recibíamos elogios de los adultos cuando dejábamos a otros jugar con nuestros juguetes, especialmente a los menos afortunados. Rápidamente aprendimos que la generosidad está entre los más grandes atributos que tiene una persona. Incluso cuando niños hasta les fruncíamos el ceño a los compañeros egoístas.

Durante la secundaria las finanzas de la familia Huntsman habían alcanzado un punto en donde escasamente podían llamarse modestas. Con mi padre comprometido en el estudio, cada uno contribuíamos a la olla común. Mi hermano Blaine y yo conseguimos 2 trabajos para ayudar con los gastos médicos y el costo de mantener el carro de la familia andando. No tenía ni idea de en cuál universidad estudiaría, pero esperaba que de alguna manera yo pudiera ir a una universidad que fuera desafiante y apropiada para mi futuro.

Durante mi último año, Harold L. Zellerbach, cabeza de la segunda compañía papelera más grande de la nación, vino a nuestra escuela en Palo Alto. Con él venía Raymond Saalbach, Director de Admisiones de The Wharton School de la Universidad de Pensilvania. Estaban buscando una escuela de Secundaria en los Estados orientales para que fuera receptora de la beca de la familia Zellerbach para atender a su prestigiosa Escuela de Negocios.

Nunca había oído hablar de Wharton, ni sabía que era la primera Escuela de Negocios de América, ni que estaba en vía de ser la primera en el mundo. De entre los alumnos más famosos de Wharton, Mr. Zellerbach me eligió a mí para discutir la posibilidad de que yo asistiera allá con una beca, todo gracias a que ese día no hubo clases debido a una convención de profesores, y como yo era el Presidente del Consejo Estudiantil, el rector me llamó a casa para invitarme a la reunión con Mr. Zellerbach y el Dr. Saalbach.

Basados en eso, y en mi desempeño durante la secundaria, recibí la beca de Wharton. Se los agradecí, sin embargo ellos me aclararon que el subsidio no sería suficiente para cubrir por mis estudios totalmente. Yo tendría que trabajar tiempo completo para cumplir económicamente. Yo no estaba seguro de si tendría éxito académico en una universidad perteneciente a Ivy League cuando además tendría la carga de un empleo de tiempo completo.

158

Ellos elaboraron una disposición adicional en donde todas mis matrículas, cuotas, alojamiento y comida también estarían cubiertos. Y así fui a Wharton, una experiencia que me inició mi carrera. Estuve en el lugar correcto en el momento correcto y fui involucrado en esa situación por aquellos, que en ese tiempo, tenían más confianza en mí que yo mismo. Aquella fue una circunstancia muy importante que cambió mi vida.

No tenía idea de cómo le retribuiría a la familia Zellerbach. El hecho es que financieramente no podía hacerlo. Ellos no lo permitirían, aún si yo hubiera tenido los medios. Ellos sencillamente me dijeron, en esencia, que hiciera lo mismo con otros. Y lo he intentado. A lo largo de los años hemos otorgado miles de becas escolares a gente joven alrededor del mundo.

> No tenía idea de cómo le retribuiría a la familia Zellerbach. El hecho es que financieramente no podía hacerlo. Ellos no lo permitirían, aún si yo hubiera tenido los medios. Ellos sencillamente me dijeron, en esencia, que hiciera lo mismo con otros.

Todas las religiones del mundo le reservan un amplio lugar en su lista de deberes a dar a los menos afortunados. El Cristianismo lo llama *caridad*; para los judíos es *tzedaka*; Los musulmanes tienen su *Zakat*; los hindúes, su *bhakti*, para mencionar sólo unos ejemplos.

Karen y yo hemos dado una porción de nuestro pago a causas valiosas cada año desde que yo estaba en la Marina ganando $320 dólares al mes. Durante los pasados 20 años nos concentramos en hacer dinero para poder donarlo.

Monetariamente, los momentos más satisfactorios de mi vida no han sido por la emoción de cerrar un gran negocio o de recoger grandes ganancias a partir de él. Han sido cuando he podido ayudar a otros en necesidad, especialmente "a los de mi hermandad". No puedo negar que soy un adicto a los negocios, pero también he desarrollado una adicción por dar.

Entre más se da, mejor se siente; y entre mejor se siente, más fácil es dar. Es una maravillosa y cálida pendiente resbalosa. Si usted quiere una razón menos altruista para dar, ensaye esta: la filantropía es un buen negocio. Energiza a la empresa.

La filantropía es un buen negocio. Energiza a la empresa.

Como compañía familiar, Huntsman Corp. no le ha hecho caso a Wall Street, cuya ambición cegadora frecuentemente restringe a las compañías públicas en sus responsabilidades filantrópicas. En lugar de eso ha pujado siempre para obtener más grandes ganancias y en ocasiones hasta tuvimos tiempos de presión para poder cumplir con los compromisos que adquirimos para hacer donaciones en pro de la beneficencia. Lograrlo requiere más disciplina que si solamente tuviéramos que cumplir con las expectativas de Wall Street. Pero una vez que usted se compromete a dar y ayudar, debe hacerle honor a su promesa.

Las compañías públicas no están exentas del requisito de devolver una porción de sus ganancias a causas que valgan la pena. Como Presidente de Huntsman, cuando la empresa se hizo pública en el 2003, me aseguré que esos compromisos fueran cumplidos. (Cuando reviso este escrito, nuestra compañía internacional está en el proceso de vender a otra compañía química. Las ganancias de esa venta donarán una fundación de $1 billón de dólares para asegurar que las donaciones continúen perpetuamente).

Muchos compromisos filantrópicos se han cumplido, otros nuevos se han adquirido. La barra de donaciones es constantemente levantada. El enfoque de una compañía se nubla si no tiene esa meta. Hubo años en los que di más dinero del que gané. Simplemente le dije a mis gerentes que teníamos una meta más alta y que todos debíamos hacerlo mejor. Mi hijo Peter se divierte diciendo que el desafío de los ejecutivos de Huntsman es hacer dinero tan rápido como yo lo pueda entregar.

En casi todos los seres humanos está el deseo interior de ayudar a otros. Desafortunadamente, algunos de nosotros nunca encuentran el tiempo ni el motivo. Retrasamos el dar hasta que es demasiado tarde o hasta que alguien que amamos muere o ya no necesita de nuestra generosidad. En otros casos, la donación puede verse manchada o tener demasiados hilos confusos adheridos.

El filósofo judío Maimónides describió 8 niveles de dar, que van desde dar de mala gana, de forma insuficiente, o solamente cuando es solicitado (son las formas más bajas) hasta dar en donde ninguna de las partes conoce la identidad de la otra y ayudar a una persona a convertirse en autosuficiente (son las 2 más altas).

No existe una cualidad humana más importante que la de compartir con otros. No hay una fuente de felicidad más completa que el acto de la caridad. Es de eso que se trata la vida. En tiempos económicamente malos he tenido que recurrir a préstamos bancarios para cumplir con mis promesas filantrópicas. (Las crisis industriales no consultan primero con las obligaciones caritativas).

Mis banqueros cuestionaron la prudencia que hubo en el hecho de pedir dinero prestado simplemente para entregárselo a otros. Mi respuesta es simple. Si tenemos compromisos para ayudar a otros, no debemos retirarnos de esas obligaciones únicamente porque las finanzas de la compañía no están temporalmente tan robustas como anticipamos. Reconozco que es más fácil decirlo que hacerlo. Nuestra obligación de dar, sin embargo, no queda eximida durante tiempos financieramente desafiantes. La tentación a reunir a su alrededor todo el dinero que le queda es fuerte. Supérela. La gente de escasos recursos casi siempre da una porción más grande de su ingreso disponible que la gente adinerada.

Es de poca importancia dónde, cómo o a quién darle. Lo que realmente importa es nuestra actitud. He escuchado miles de sermones sobre la urgente necesidad de dar. Me he puesto a pensar por qué esos predicadores nunca hablan acerca de lo divertido que es dar, o si están efectivamente haciendo lo que sugieren sus prédicas con sus recursos personales.

> Es de poca importancia dónde, cómo
> o a quién darle. Lo que realmente
> importa es nuestra actitud.

Hoy mi enfoque filantrópico se enfoca en uno de los centros de investigación del cáncer y hospital más grande del mundo. Se han invertido enormes cantidades de dinero para construir esta edificación de clase mundial. Fue una alegría sin medida presenciar la terminación de Huntsman Cancer Institute and Hospital en el verano del 2004. Tengo la esperanza de construir más hospitales para el cáncer en todo el país.

Cada semana, trato de dar alegría a nuestros pacientes, abrazando a aquellos que pasan por quimioterapia. En muchos casos, sus vidas son precarias, en todos los casos, ellos tienen miedo. Un abrazo y una palabra de aliento pueden ser tan benéficos como cualquier medicina que reciben. Mi madre, padre y madrastra murieron de cáncer. Yo luché dos veces contra la enfermedad. Es difícil para mí no ponerme sentimental cuando saludo a los pacientes con cáncer.

Las donaciones no siempre tienen que ser en dinero. Muchas veces el tiempo es más preciado que los dólares. Dar de nuestro tiempo, de nuestras influencias y suministrar nuestra experiencia, pueden ser tan significativos como el dinero. Los líderes deben dedicar un tiempo para voluntariado o trabajo de servicio público. Una encuesta nacional reciente califica a Minneapolis y Salt Lake como las ciudades de América con mayor voluntariado, pero esas 2 cintas azules representan escasamente 2 de cada 5 adultos comprometidos en actividades periódicas de voluntariado.

Las donaciones no siempre tienen que ser dinero. Muchas veces, el tiempo es más preciado que los dólares.

La riqueza no siempre es medida económicamente, todos tenemos tiempo, talento y creatividad, y todas son ayudas poderosas para el cambio positivo. Comparta esas bendiciones en la forma en que le vayan llegando y al nivel que usted haya sido bendecido.

ॐ

En una época creía que las donaciones de caridad eran puramente voluntarias. Hace cerca de 25 años cambié de opinión. Dar aplica para todos, pero seguramente no es opcional, por lo menos para los ricos ni para las corporaciones. Es obligación moral para cualquier persona adinerada o cualquier negocio digno de su nombre, devolver a la comunidad algo de lo que ha recibido. Somos guardianes temporales de nuestras fortunas, sin importar el tamaño.

En una época creía que las donaciones de caridad eran puramente voluntarias. Hace cerca de 25 años cambié de opinión.

Nada menos que el capitalista comprometido Andrew Carnegie propuso a los millonarios en su trabajo de 1889 *The Gospel of Wealth*, "que devolvieran su exceso de riqueza a las masas de la mejor forma calculada para ayudarle al prójimo en todo cuanto fuera posible". Y estableció un ejemplo notable con su dotación de librerías alrededor de la nación.

Muchos adinerados creen erradamente que la verdadera medida del éxito financiero no es cuánto ganan sino cuánto guardan. Ellos pasan su vida esquivando impuestos y elaborando sistemas de contabilidad para pasar su fortuna a sus hijos.

> Muchos adinerados creen erradamente que la verdadera medida del éxito financiero no es cuánto ganan sino cuánto guardan.

Sin duda, una medida del éxito es cuánta riqueza uno adquiere durante su vida. La medida más significativa y duradera, es cuándo da.

Mi mensaje no es únicamente para el grupo de los ricos. Nadie se salva. Si sólo el rico da, hay pequeños cambios. Todos debemos dar de nuestra parte. Ser un supervisor benevolente de nuestra cosecha es una labor temporal. Tenemos poco tiempo para ver que esa riqueza, humilde o vasta, sea extendida hacia las necesidades de otros. Dar es una obligación espiritual.

El evangelio cristiano tiene el mandato claro: si un hombre tiene dos abrigos, ¿no debería darle uno de ellos al hombre que no tiene abrigo? Para los judíos, la caridad es un deber centrado en la creencia de que todo lo que tenemos nos lo da Dios. Uno está obligado a compartir con los que no tienen suficiente.

Dar a los pobres es uno de los 5 pilares del Islamismo. En la mayoría de culturas islámicas acaparar es un error. Dar en exceso lo protege a uno de la avaricia y de la envidia. De hecho, el Islam alienta la práctica de pedir préstamos de dinero y propiedad llamados *waqf*, con el propósito de mantener colegios, hospitales, iglesias y similares.

Las 3 religiones tienen el mismo principio: devuélvale a la sociedad tanto como haya extraído. Dé generosamente a los menos afortunados. Salvos por la gracia de Dios (y por algunos golpes de suerte), eso somos.

Salvos por la gracia de Dios (y por algunos golpes de suerte), eso somos.

No necesitamos millones de dólares para vivir cómodamente. Con frecuencia a los ciudadanos ricos de nuestra sociedad se les dificulta compartir, mientras que los que tienen poco están en primera fila para dar de lo que tienen.

Sandra Lee Anderson murió en Junio 28 del 2008 de manera inadvertida fuera del círculo de su familia y amigos en el área de Spokane, Washington. Pasé por su obituario por casualidad. No la conocí pero me habría gustado pues su historia vale la pena compartirla como ejemplo. Por todos los medios ella era una persona muy amable y generosa que vivió con un ingreso fijo y sufrió de una multitud de problemas de salud. Ella amaba trabajar con las personas con discapacidades en el desarrollo. Sandy Anderson diezmaba en una pequeña iglesia conocida y le agradecía al Señor diariamente por sus bendiciones. Siempre estaba lista con una donación para aquellos menos afortunados que ella. Yo creo que hay muchos hombres y mujeres con bajos ingresos en el mundo que diariamente ponen en vergüenza a mucha gente millonaria.

¿Cuánto debe entregar el rico? He meditado en ello. No existe una fórmula establecida, pero yo diría que donde comienza el exceso de una vida cómoda es un punto razonable para empezar a dar. ¿Cuál sería una calidad de vida deseable cuando se trata de vivienda, comida, cuidado médico, ropa, transporte, entretenimiento, viajes y ahorros? Esa es una decisión individual.

Malgastar en exceso es egoísta y tonto. Las inversiones no rentables y los juguetes costosos serán casi siempre el resultado de tener más dinero del que uno necesita.

Las compañías tienen el mismo mandato a compartir que los individuos, pero simplemente dar porque es bueno para la imagen de la compañía o porque la ganancia material permite pregonar la práctica de la filantropía, no son razones legítimas: el sentido de responsabilidad social se marchita.

Las fundaciones o las entidades sin ánimo de lucro son doblemente afectadas durante los tiempos económicos difíciles. No solamente porque las donaciones tradicionales caen, sino porque las inversiones de estos grupos reciben golpes. Eso significa que menos cantidad de dinero está disponible para proyectos de caridad, justo en el momento cuando la ayuda es especialmente necesaria. Cuando más se necesitan donaciones, es cuando estas son más difíciles de conseguir.

Los negocios a menudo pasan a través de altibajos, como las personas. Las recesiones, crisis energéticas, contratiempos monetarios, competitividad y lagunas en el mercado pueden significar tiempos difíciles. Recuerdo y aprecio a esos individuos e instituciones que se levantaron en tiempos arduos. Yo intento hacer negocios hoy con aquellos que se acordaron de nosotros cuando estábamos en mala situación financiera, aquellos banqueros que nos permitieron líneas de crédito en tiempos de estrés financiero, proveedores que nos dieron crédito cuando se evaporaron las ganancias y aquellos que nos extendieron la mano a lo largo del camino.

Los residentes de Utah, de acuerdo con *Chronicle of Philanthropy*, están dentro de las personas más generosas de la nación, dando hasta el 15% de su ingreso cada año. Mucho de eso es el resultado de tantos diezmos con propósitos religiosos.

El IRS permite mezclar sus donaciones dando secular y sectariamente y declarándolas en su formulario de impuestos, pero yo separo las donaciones religiosas de la caridad pública. Poner dinero en la canasta de recolección, ya sea diezmando semanal o anualmente, es una buena cosa. Es un deber para los individuos que practican una religión, pero hay otras muchas causas que también valen la pena.

A las congregaciones regularmente se les recuerda que las donaciones son un requisito para la recompensa eterna. Sin la presión del púlpito, dudo que muchas instituciones religiosas recogieran las sumas que recogen. Sería saludable para todos nosotros, especialmente para los adinerados, experimentar el mismo tipo de presión para la recolección cuando se trata de la filantropía secular.

La verdadera acción de dar es hacer algo por alguien que nunca le podrá pagar. Compartir la riqueza y la amabilidad, abrazar a otros en necesidad y crearles oportunidades, son deberes de la sociedad. Lo único que no cambia a medida que nos movemos por la vida es el alcance que tiene una donación.

> La verdadera acción de dar
> es hacer algo por alguien que
> nunca le podrá pagar.

Usted no tiene que ser un billonario o filántropo. La primera definición que el *Diccionario Oxford* provee para filantropía es "un amor por la humanidad".

Todo lo que necesita para ser un filántropo es la pasión por hacer la diferencia.

Y ¿mencioné que es muy divertido devolver? Dar enriquece el corazón y el alma, y es contagioso.

"Deje el sitio donde acampó mejor
de lo que lo encontró".
—Niña Lema Scout

"El secreto de la buena escritura
es saber cuándo parar".
—L.M. Montgomery

CAPÍTULO DOCE

Lo esencial del asunto

Los valores vigentes son cosa de niños, no ciencia de genios

La sociedad siempre recuerda afectuosamente al pasado como los "buenos viejos tiempos", como una colección de tiempos más simples y felices de nuestra juventud. La nostalgia tiende a ser vaga y selectiva. Para ser sinceros, esos tiempos tenían sus altos y bajos tal como ahora. Pero, de nuevo, la infancia es menos compleja. Entonces aceptábamos los valores abiertamente y en la mayoría de los casos nos adheríamos a ellos. Estas normas fueron implantadas en nosotros por los adultos que nos rodearon, su diligencia influenció nuestro comportamiento tal como nosotros moldeamos el comportamiento de nuestros hijos y ellos moldean el de los suyos.

Mi intención en esta discusión sobre valores eternos es refrescar las memorias y darle un giro al enfoque actual. Hay muy poco en este libro que sea original. La mayoría de los valores no son nuevos para ninguna generación ni cultura.

Estos principios están arraigados a nosotros desde el nacimiento. Los ancianos de la sociedad ven con frecuencia a la generación joven con menos valores que los que ellos tienen, pero el hecho es que todos empezamos la vida igual. Cada generación tiene sus desafíos únicos y ninguna tiene el monopolio de los valores.

Sin embargo pareciera que los jóvenes de hoy son más propicios a engañar, así como también más tolerantes hacia los demás que sus padres. Si ellos parecen estar menos inclinados a pintar la moralidad en blancos y negros puros, también están menos interesados en trabajar para conseguir un millón de dólares y son más conscientes de la condición del planeta que hace 50 años. En resumen, cuando se trata de valores, cada generación los acumula inclusive con los de la generación anterior y con los de la que la precede.

> Los ancianos de la sociedad ven con frecuencia a la generación joven con menos valores que los que ellos tienen, pero el hecho es que todos empezamos la vida igual. Cada generación tiene sus desafíos únicos y ninguna tiene el monopolio de los valores.

Cómo estudiante de 18 años de primer año en The Wharton School de la Universidad de Pensilvania, me uní a Sigma Chi. Esta fraternidad fue fundada en 1855 cuando 6 estudiantes en Miami de la Universidad de Ohio se separaron de otra fraternidad debido a un comportamiento inadecuado. Como miembro de Sigma Chi, me comprometí a defender un credo de justicia, decencia y buenos modales.

Nunca he olvidado esa promesa. El "Jordan Standard," nombrado a partir de esos 6 fundadores hace 150 años, insiste en que cada miembro, entre otras cosas, sea de buena moral y buen carácter y mantenga los más altos estándares de honor y responsabilidad personal.

Tales estándares de comportamiento adecuado son universalmente aplicables, sin importar la fe, la cultura y la edad; las bondades naturales de los seres humanos deben ser el centro de nuestro trato con otros.

Existe una necesidad absoluta en estos días de *despertar* en nosotros los valores básicos que nos ayuden a diferenciar el bien del mal. Uso el término despertar porque nuestros valores éticos han estado con nosotros desde el comienzo, habiendo sido implantados en nuestro interior por aquellos que nos influenciaron cuando niños.

Solíamos seguir reglas no escritas para los patios de recreo y areneras, hogares y colegios. Honrábamos los conceptos de justicia, decencia, respeto e integridad básicos. Estos principios no han cambiado desde que salimos de las areneras hacia los edificios llenos de escritorios. Así que hoy también debemos comportarnos con honor y justicia.

> Estos principios no han cambiado desde que salimos de las areneras hacia los edificios llenos de escritorios.

Es fácil mantener un negocio u honrar un contrato cuando estos están a nuestro favor. La medida de un individuo se conoce realmente cuando su palabra se mantiene aún si esta lo pone en desventaja.

Los tiempos rudos nunca son fáciles de manejar. A menudo requieren de un dramático cambio en el estilo de vida. Durante las crisis financieras debemos, no sólo eliminar los lujos y gastar de manera discreta, sino muchas veces disminuir la compra de elementos básicos como combustible, alimentos y ropa. La compra planeada de una nueva casa o carro también debe ser reversada en momentos difíciles.

Tenemos que hacerlo.

Un proverbio judío señala que "aquel que no puede soportar el mal, no vivirá para soportar el bien". Los contratiempos financieros usualmente pasan. Como dice otro viejo dicho: "Ser pobre es un estado mental; no tener dinero es una condición temporal".

A pesar del hecho de que una crisis financiera mueve los límites éticos, para muchos otros tan sólo mueve límites físicos, por ejemplo, una manifestación de la preocupación financiera es el estrés, una condición que llega a causar estragos en todo el cuerpo. El estrés camina de la mano con las preocupaciones financieras. Los tiempos difíciles llegan en muchas formas y con diferentes duraciones, algunos parecen no disminuir sino que persisten produciendo grandes dosis de tristeza en todos los aspectos de nuestra vida. Anímese, los filósofos dicen que "esta crisis también pasara". Hay momentos en los que parece imposible, pero manténgase positivo y se sorprenderá. Francisco de Asís dijo: "Empiece por hacer lo necesario, luego haga lo que sea posible, y de repente estará haciendo lo imposible".

Como Fundador y Presidente del Huntsman Cancer Institute, hablo a menudo con muchos pacientes de cáncer de todas partes del mundo. Me reúno regularmente con nuestro personal, más de 1.600 científicos, investigadores, médicos y otros, para discutir sobre la enfermedad y sus ramificaciones. He aprendido que la preocupación, el estrés, la soledad y la ansiedad son factores clave no sólo para intensificar el cáncer sino para prolongar la enfermedad. Por otra parte, la alegría, la amistad, el aliento y los sentimientos positivos, tienen una manera efectiva de acortar la duración del cáncer y acelerar la recuperación.

Cuando pienso en el cáncer (el cual me ha visitado tres veces), me sirve de ayuda recordar el suave verso de Eclesiastés: "Todo tiene su tiempo y todo lo que se quiere debajo del cielo tiene su hora; tiempo de llorar y tiempo de reír; tiempo de lamentar y tiempo de bailar". En momentos de afrontar el cáncer es figurativamente el tiempo de reír y bailar. Puede sonar extraño, hasta imposible, pero ayuda al cuerpo y al espíritu intentarlo.

❧

Cada ser humano es único. Cada uno tiene formas únicas de sanarse. El ambiente de hoy conduce al estrés en sus muchas formas: ansiedad, obsesión y depresión. Un alza en los precios trae presión para mantener ciertos estilos de vida;

el desempleo es alto y los costos de la salud son inalcanzables. A menudo parecemos tener problemas de liquidez. Muchos americanos hoy están más perturbados que nunca desde La Gran Depresión.

En lugar de abatirnos, debemos convertir este tiempo en un periodo de reflexión positiva, en una oportunidad para salir adelante y ayudar a otros.

Después de todo, ¿no es la preocupación personal un estado disminuido? Y ¿no es más un estado mental que una situación tangible? Asumiendo que tenemos lo básico, alimento, ropa, abrigo, ¿no estamos aún equipados para seguir adelante y ayudar alegremente a otros?

Las dificultades económicas no son las únicas consecuencias de los malos tiempos. El miedo y la confusión también son compañeros silenciosos. Estos tienen la capacidad para controlar nuestra alma y convertirse en nuestro sello personal. Pueden hacernos considerar hacer las cosas de una forma en que no las haríamos en otras circunstancias.

Cuando estamos temerosos y sumergidos en el caos, contemplamos un comportamiento que no encaja con nuestros valores. Nos convertimos en portadores de miedo y confusión, haciendo estragos y causando ataques cardiacos a todos los que nos rodean. (El carácter de Scrooge en *Una Canción de Navidad* —*A Christmas Carol*— de Charles Dickens es un ejemplo. Yo creo que si vemos y leemos esta historia una y otra vez, probablemente logremos que no nos pase a nosotros).

El miedo esclaviza. Me gusta este axioma bien establecido porque es tan verdadero: no podemos, sin quererlo, encarcelarnos a nosotros mismos en medio de preocupaciones, negatividad y comportamiento obsesivo. Hacerlo es peligroso, corroe la salud y el espíritu, nos separa de la familia, amigos y colegas y destruye las relaciones duraderas.

❧

En tiempos difíciles y desafiantes debemos apegarnos a todo lo positivo de nuestra vida, ya sean hijos amados, flores, bellezas de la naturaleza y otros regalos con los que hemos sido bendecidos. Al pasar el tiempo vemos que la mayoría de las desgracias son situaciones temporales que en su momento percibimos como los peores escenarios posibles pero que se tornan menos permanentes y severos de lo que habíamos presupuestado.

Así que ¿cómo podemos traer restauración al comportamiento basado en valores en el mercado y en otras arenas de la vida moderna? Le ofrezco 4 sugerencias simples, así:

◇ Cuando se comprometa con algo que afecte a los demás, pregúntese primero: ¿Está bien? ¿Me gustaría ser tratado de esta manera?

◇ Lleve sus valores al trabajo. No se desconecte de ellos cuando se siente en su escritorio. No debe haber conflicto entre obtener una ganancia y adherirse a sus valores tradicionales de decencia y justicia.

◇ Considérese el guardián de quienes lo rodean y dé ejemplo de comportamiento ético.

◇ Establezca los fundamentos de su vida como un hilo de palabras con la letra "*f*": familia, fe, fortaleza, franqueza, fidelidad, fraternidad y filantropía.

No debe haber conflicto entre obtener una ganancia y adherirse a sus valores tradicionales de decencia y justicia.

Después de la familia y la fe, el más importante de esos atributos debe ser la filantropía. La mayoría de nosotros se beneficia a partir de un número de eventos fortuitos en la vida. Ninguno de nosotros se ha hecho verdaderamente solo. Así que tenemos la obligación de estar pendientes de las oportunidades que se nos presenten para devolver esos favores o pasarlos a otros.

Existen muchas causas en el mundo esperando nuestra generosidad. Vienen en todas las formas y tamaños. Mi propia causa es encontrar una cura para el cáncer.

Considerando cuáles causas son las más significativas para usted, mire primero las necesidades en nuestras comunidades. Póngalas en un orden de prioridad que tenga sentido para usted. ¿En dónde puede usted hacer el mayor bien? ¿En dónde nuestra donación hará la diferencia? Piénselo y haga su labor.

Para mí la donación más estimulante de todas está basada en el impulso del momento: quitarse el abrigo para un transeúnte tiritando del frio en una calle durante el invierno, o visitar de manera no planeada un hogar de refugio. El impulso puede suceder incluso en la mitad de un discurso como me pasó hace unos años.

Cerraré con esa historia.

Colgada en la pared detrás de mi escritorio está una frase de John Andrew Holmes, el médico que escribió *Wisdom in Small Doses*, que dice así: "No hay un ejercicio mejor para el corazón humano que agacharse y levantar a otro ser humano".

Ese poderoso mensaje estuvo en el corazón de un discurso de apertura de graduación que pronuncié en una universidad en el año 2000. Debió ser el discurso de graduación más corto en la Historia Moderna. La frase de Holmes fue todo el discurso.

La ceremonia de apertura llevaba cerca de hora y media y yo tenía preparados mis comentarios finales. Las familias y los amigos estaban inquietos en sus sillas, los niños pequeños estaban quejándose. La escuela tenía una gran proporción de alumnos de mayor edad, casados, con familias, que trabajaban tiempo completo para tener una mejor vida. Ellos eran un grupo de gente práctica junto con sus padres y amigos, y dos horas de largos discursos no era su idea de un buen uso del tiempo.

Cuando me senté en el escenario, viendo la situación, empecé mentalmente a recortar mi discurso, así que cuando llegué al podio sólo tenía una frase.

Me paré frente a los graduados y les pedí que se levantaran. "Repitan después de mí," les indiqué. "No hay un ejercicio mejor para el corazón humano que agacharse y levantar a otro ser humano".

Les pedí que repitieran de nuevo esas 14 palabras.

Luego, inesperadamente, hice algo completamente impulsivo. Me acerqué al presidente de la escuela y anuncié que daría a la universidad 200 becas de $5.000 dólares cada una. Luego me senté. Se podía escuchar la caída de un alfiler en ese centro de eventos. Las bocas quedaron abierta, como si las personas dudaran acerca de lo que habían escuchado y yo difícilmente podía creer lo que acababa de decir.

Lo que sucedió a continuación fue una avalancha ensordecedora de gritos, coros y aplausos. Yo estaba abrumado con la reacción.

A medida que absorbía el caos, vívidos recuerdos de la beca de la familia Zellerbach —la cual hizo posible mi título en The Wharton School de la Universidad de Pensilvania— aparecieron ante mí. Hasta podía ver a Harold Zellerbach sentado en primera fila asintiendo con la cabeza y dándome una sonrisa de "estamos empatados".

¡Qué maravilla! Inténtelo. Le garantizo que le gustará.

Por

Larry King

Experiodista de CNN

Jon Meade Huntsman bien puede ser el billonario más notable del que América haya oído hablar. Legendario en los círculos petroquímicos, él opera en todo el mundo de manera calmada, determinada, respetada y cuidadosa. Por cerca de 2 décadas, se encontró en el nivel superior de la lista de los americanos más ricos de la revista *Forbes*, pero eso no siempre fue así.

Jon es la encarnación del Sueño Americano. Su viaje fue desde un comienzo marginado hasta llegar a constituirse en el Presidente de la compañía familiar más grande de América. (A comienzos del 2005 convirtió en compañía pública el extenso imperio Huntsman).

Como sucede con cada personaje de Horatio Alger, Jon Huntsman fue simplemente enfrentado ante una oportunidad para competir en el campo de los sueños. Lo demás, —su visión, determinación, habilidad, integridad, unas pocas caídas y su éxito final—, fue producto de su decisión.

Él ganó esa increíble carrera justa y en buena plaza cumpliendo su sueño con los principios morales intactos. Su palabra ha sido mantenida, negociando por encima de la mesa justamente con colegas y competidores por igual, mostrando un comportamiento digno y generoso.

Todo esto para mí, es la esencia de Jon Huntsman. Es por esto que él ha escrito su libro y por lo que vale la pena leerlo.

Su carrera se inició con un título de The Wharton School de la Universidad de Pensilvania, una educación que fue posible por la oportunidad de una beca de alguien que ya había logrado su propio sueño. Jon llegó a construir un imperio y a rendir cuentas por los favores y oportunidades que recibió a lo largo del camino.

Usted puede no haber oído hablar de Jon Huntsman, pero las personas que él ha ayudado durante estos años, con seguridad, sí.

Pregúnteles a los pacientes del Huntsman Cancer Institute and Hospital, una instalación de clase mundial para la investigación, ubicada en la ciudad de Salt Lake, enfocada en explorar cómo prevenir y controlar la enfermedad, especialmente los cánceres hereditarios. La familia Huntsman ha dado un cuarto de billón de dólares para ese esfuerzo y está comprometida a duplicar esa cantidad en los próximos años. Jon perdió a su madre, padre, madrastra y abuelos por esta enfermedad. Él mismo ha vencido al cáncer, dos veces.

Pregúnteles a los estudiantes y a la facultad de The Wharton School en la Universidad de Pensilvania, en donde se convirtió en el Presidente de la Junta de Supervisores. Su donación de $50 millones hizo posible que el Huntsman Hall, un moderno complejo de la Escuela de Negocios, fuera el líder en el programa de estudios internacionales. Recordando lo que la oportunidad de la educación superior significó para él, Jon ha otorgado muchos millones de dólares en becas a los hijos de los empleados y a estudiantes aleatorios.

Pregúntele a la gente de Armenia. Esa es una historia que vale la pena contar.

En la tarde de Diciembre 7 de 1988, Jon y Karen Huntsman estaban viendo el noticiero en la sala de su hermosa casa en la ciudad de Salt Lake. Él era el Jefe Ejecutivo y Presidente de Huntsman Chemical Corporation, —ningún advenedizo en la industria pesada y tradicional química.

La historia principal en el noticiero esa noche era inquietante: un terremoto había destrozado la mayor parte de Armenia. Jon estaba destrozado con las escenas de destrucción que se desarrollaban frente a él, —fábricas, apartamentos en escombros, carreteras y ferrocarriles eran algo más que galletas partidas de concreto y acero; colegios aplanados y sobrevivientes desesperados buscando entre los escombros a sus seres queridos.

Un año antes, Jon Huntsman probablemente no habría ubicado a Armenia en el mapa, pero durante los 6 meses anteriores él había negociado con Aeroflot, la aerolínea del antiguo gobierno soviético, para producir en una nueva planta en Moscú el servicio de plásticos para la comida de los aviones. En el proceso se había convertido en el primer americano dueño de la parte mayoritaria de un negocio en la Unión Soviética. Él estaba fascinado con la extensión de la Unión Soviética, y ahora el desastre había dañado uno de sus Estados satélite.

"Tenemos que hacer algo", le dijo a Karen esa noche. Para él, el dolor era personal. Así es como es Jon Huntsman.

La ayuda que envió consistió en expertos y recursos para una moderna fábrica de cemento que produciría concreto resistente a los terremotos, comida, equipo médico para los complejos de apartamentos y escuelas, todo como donación para una nación agradecida y maltratada.

Antes que él se retirara, 15 años después, la familia Huntsman había inyectado $50 millones de dólares en Armenia, visitando la nación 2 docenas de veces. En esa noche de Diciembre de 1988, él no tenía ningún lazo con esa región del mundo. No conocía el nombre de una sola víctima. Sin embargo el nombre de Huntsman es conocido hoy en Armenia, en donde Jon es ciudadano honorario y recibió el premio más alto de la nación.

¿Quién es Jon Huntsman? Pregúnteles a los que han sido ayudados por él. Pregúnteles a las comunidades alrededor del mundo en donde Huntsman Corp. tiene negocios. Ellos hablarán del profundo interés personal que él tiene en sus fortunas, familias y futuros.

Tal vez esa generosidad sea el resultado de haber crecido del lado humilde. Si es así, esa es sólo una parte de la ecuación filantrópica. Jon también se adhiere a la obligación de toda persona a ser generosa. A través de los años, la caridad ha sido la piedra angular de la mayoría de culturas del mundo.

El evangelio de dar, de acuerdo a Jon, sostiene que cada individuo, sea financieramente incapaz o capaz, pero especialmente los adinerados, debe devolver una porción de sus bendiciones.

Jon Huntsman es de una raza diferente. Él cree que los negocios son una labor creativa similar a una obra de teatro, en donde la integridad debe ser el personaje principal. A pesar de lo que usted escucha en las noticias de la noche o lee en los periódicos, el comportamiento digno y ético no es reliquia moral del pasado. Él cree en ser honesto, justo y bondadoso, incluso cuando serlo le cueste muchos millones de dólares.

Este libro no es un simple catecismo del mercado para el comportamiento moral. En cada capítulo hay pedazos de técnicas de buena gerencia para aquellos que dirigen compañías u organizaciones; contiene instrucciones sólidas para aquellos de medio rango y un panorama más amplio para los empleados y miembros de toda empresa. Con un MBA de University of Southern California, Jon es un extraordinario empresario pero también un experimentado Gerente Ejecutivo que lo ha visto todo.

Por los pasados 35 años su negocio ha ido desde cero hasta ganancias anuales de $12 billones de dólares. No fue un viaje del todo suave. Estuvo a punto de la bancarrota 2 veces, pero su reputación de negociante duro pero justo, un comportamiento bondadoso y sensible, un sentido empresarial y un notable compromiso filantrópico, le dan una única perspectiva de la cual ofrece estas normas para el camino.

Jon Huntsman, es una prueba viviente de que a uno le va bien haciendo el bien. Leo Durocher estaba bastante equivocado cuando dijo: "Los tipos buenos llegan de últimos". No sólo la gente buena llega primero, sino mejor. Jon tiene poca tolerancia con la ética del mercado o de la vida. Él pinta el comportamiento adecuado en negrilla, blanco y negro. Él cree en el adagio de que si usted tiene un reloj, todo el mundo sabe qué hora es, y si tiene dos, nadie sabe la hora exacta.

En el 2002, lo llamé el Humanitario del Año por su generosidad con otros. (*Business Week* lo califica entre los más importantes filántropos de América). Hasta me sorprendió con una grande e inesperada contribución para la Larry King Cardiac Foundation para ayudar a aquellos que sufren enfermedades cardiacas. Mi esposa Shawn y yo nos contamos dentro de los afortunados de ser amigos de la familia Huntsman por muchos años. Yo recomiendo con entusiasmo su opinión sobre la vida.

PERSPECTIVA

Por
Neil Cavuto
Editor Administrativo de Fox Network

Lo sé todo acerca de Jon Huntsman y de la forma en que él ve la vida. Escribí un libro sobre él.

En *More Than Money*, publicado en el 2004, quedó delineado el carácter de Jon y otros 20 individuos que entienden el valor sobre el dinero y para mí representan a las personas inspiradoras de este mundo que continuamente tornan los desafíos personales en elementos positivos de la vida. Lo que usted acaba de leer es un modelo básico, no sólo de cómo hacer el bien, sino también de cómo ser bueno.

La vida y valores personales de Jon Huntsman le dan credibilidad a sus palabras. Él camina basado en su discurso ético inclusive frente a increíbles obstáculos que en algún momento seguramente han hecho tentadora la posibilidad de tomar atajos morales. Jon no tiene una fórmula secreta pues los valores deberían ser parte de la vida de todo ser humano con conciencia. Pero saber cuál comportamiento es correcto y cuál no lo es, es la parte más sencilla. Vivir esos principios es lo que finalmente requiere compromiso, integridad y coraje.

Como periodista y presentador del programa *Your World* de Fox News, el show de negocios más visto en televisión, he visto de todo. Yo también sé de problemas del mercado y de manzanas podridas en el barril de los negocios, pero en *Your World* intento ir más allá de los problemas. Voy desde **184** los libros de contabilidad con pérdidas y ganancias, hasta los individuos triunfadores.

En el ejercicio de mi profesión he conocido muchos modelos inspiradores que disipan la noción de que lo que es bueno para el negocio puede no serlo para sí mismo; hombres y mujeres que son catalizadores de maravillosos esfuerzos, que saben, no sólo cómo jugar bajo las reglas, sino cómo mantener una conducta ética. Los ejecutivos de negocios auténticamente exitosos saben que no puede haber disonancia entre los valores de la sociedad y las operaciones corporativas.

En mi libro *More Than Money* definí a aquellos que han ganado fama y fortuna, no tanto por sus logros sino por la forma en que llegaron allí, las enormes dificultades que superaron, la dignidad y el coraje que tuvieron en el proceso y la forma ética y justa en la que trataron a los demás en el camino.

Estos héroes aprendieron a fijar sus ojos en las posibilidades, no en las dificultades. Se repusieron a los baches que encontraron en el camino al éxito guiados por su motivación —una motivación que no estuvo centrada únicamente en las ganancias y el poder sino también en hacer la deferencia en la vida de otros.

El multibillonario hecho a pulso y filántropo de nacimiento, Jon Huntsman, es un clásico ejemplo de lo que estoy hablando. Él convirtió notablemente sus dificultades personales, al tener que afrontar un cáncer, en un faro de esperanza para otros que sufren con esta temible aflicción —al mismo tiempo que acompañaba a su madre hasta la muerte y veía a su padre consumirse—. Un año después que los doctores le dijeron que tenía cáncer de próstata, le informaban que de nuevo tenía otra clase de cáncer.

Con cerca de un cuarto de billón de dólares de sus fondos personales como capital inicial, y con la promesa de conseguir más, Jon fundó su instituto para la investigación del cáncer hace una década y continuó con un hospital para su investigación 7 años más tarde. Estas 2 entidades son la pieza central de su búsqueda para controlar, si no curar el cáncer.

Huntsman Cancer Institute and Hospital es un complejo científico arquitectónicamente impresionante. La investigación para identificar los genes del cáncer hereditario y controlar la enfermedad con una intervención temprana, es sorprendente. El hospital tiene principalmente en cuenta la comodidad y la dignidad de los pacientes. Parece un hotel de 4 estrellas más que un lugar en donde se hospedan personas enfermas. Y está pronto a duplicar su tamaño.

Dada mi propia experiencia con el cáncer, estoy ansioso por la infatigable cruzada de Jon por conquistar esta terrible enfermedad. Él sacude compañías farmacéuticas, agencias federales y colegas adinerados; hace donaciones políticas a republicanos y demócratas miembros del Congreso que votan en pro de la lucha contra el cáncer; y personalmente visita a los pacientes que pasan por quimioterapia. Cuando la industria química se fue en picada en el 2001, él obtuvo un préstamo multimillonario personal para cubrir sus compromisos filantrópicos hasta que se recuperó 3 años más tarde. Convirtió su empresa petroquímica familiar en un imperio público a comienzos del 2005, en parte, para recaudar cientos de millones adicionales para su instituto contra el cáncer.

(Por cierto, Jon está encaminando las regalías por este libro para el instituto, y sé que agradecidamente él aceptará donaciones adicionales. La dirección, en caso de que desee hacerlo es: Huntsman Cancer Institute, 2000 Circle of Hope, Salt Lake City, UT 84112).

En el mundo de Jon Huntsman, dar es un deber sagrado. Él no cree en la mayoría de los billonarios que esperan hasta estar muertos para entregar su dinero. Algunas veces pienso que Jon sería la persona más feliz si pudiera hacer coincidir su último aliento entregando su último dólar a alguien en necesidad, logrando así salir de este mundo de la manera en que entró.

Sin embargo, el enfoque de *More Than Money* fue más allá de identificar estrellas filantrópicas. Mis héroes son quienes enfrentaron los obstáculos de la vida, los sobrepasaron y lo hicieron con clase, altos principios y dignidad.

Gracias a *Es negocio ser honrado* hemos sido reintroducidos a nuestro mapa de valores. Este libro nos da a cada uno instrucciones simples para convertirnos en héroes.

PERSPECTIVA

Por
Wayne Reaud
Fiscal

Soy un abogado litigante y el libro que usted acaba de leer puede ponerme fuera del negocio. Nadie estaría más feliz de eso que yo.

Durante los pasados 30 años he llevado a algunas de las corporaciones más grandes de América a la Corte, llamándolas a responder por comportamientos que amenazan la salud y bienestar de la gente. Desde fabricantes de asbesto, proveedores de tabaco hasta fabricantes de computadores, he peleado para que las grandes compañías sean más responsables en sus relaciones de negocios.

Por lo general, usted no esperaría que un abogado litigante sea particularmente cercano al gerente ejecutivo de una gran corporación. Así que cuando la gente oye que Jon Huntsman y yo somos buenos amigos, y lo hemos sido por 15 años, muchos se rascan la cabeza. Acaso en la ecología del mundo de los negocios, ¿no seríamos él y yo enemigos naturales? ¿No nos ponen en enfrentamientos nuestros respectivos trabajos? La respuesta a ambas preguntas es no. Y la razón es simple: Jon Huntsman no es un Gerente Ejecutivo promedio.

Jon es una rareza en el mundo corporativo: un empresario enormemente exitoso cuya conciencia es tan aguda como su sentido de negocios, cuya palabra es conocida como un lazo inquebrantable. Desde su primer trabajo, recogiendo papas en una zona rural de Idaho a la edad de 8 años, hasta su posición actual dirigiendo una de las compañías químicas más grandes del mundo, él siempre ha puesto las cuestiones éticas en igualdad, si no por encima de sus preocupaciones de negocios.

Podría darle una larga lista de cosas que ha hecho Jon, —donar cantidades récord para el tratamiento y la investigación del cáncer, diezmar en su iglesia, dar millones a los colegas y a universidades—, pero aun así usted no tendría una idea clara de porqué él es tan inusual. Su ética va más allá de simplemente hacer donaciones y sentirse alegre por las buenas causas. La ética es el centro de su ser. Para él es una forma de vida.

En el trabajo central de Platón, *La República*, él nos da la noción del líder ideal: el "filosofo rey". Este es el hombre que posee el matrimonio perfecto entre una mente filosófica y la habilidad de liderar. Como escribió Platón: "No necesito dudar más para decir que debemos convertir a nuestros guardianes en filósofos. La combinación necesaria de cualidades es extremadamente escasa. Nuestra prueba debe ser exhaustiva para que el alma sea entrenada en la búsqueda de todo tipo de conocimiento hasta la capacidad de buscar aquello que está más arriba de la justicia y la sabiduría, —la idea del bien".

Jon Huntsman ha perseguido "la idea del bien" toda su vida, y así como lo señala su trayectoria corporativa, él es más que hábil para liderar. Pero la verdadera prueba de la ética no viene cuando una persona da sin nada que perder, sino cuando da con todas las de perder. Es por eso que Jon Huntsman es el hombre correcto para escribir este libro. Y no hay duda de que lo está haciendo justo en el momento adecuado. En esta era de escándalos de Enron y Tyco y de la mala conducta corporativa desenfrenada, necesitamos la voz de Jon Huntsman y su liderazgo más que nunca.

Espero que este libro de Jon nos recuerde a todos, que así como él, todos podemos hacer el bien y hacerlo bien al mismo tiempo. Como abogado litigante, quiero que todas las personas negociantes de América lean este libro y tomen como ejemplo el corazón de Jon. Tal vez entonces mis compañeros abogados y yo no tengamos más que hacer. Nada me gustaría más que eso.

Jon M. Huntsman es el Director y Fundador de Huntsman Corporation. Inició la firma con su hermano Blaine en 1970. Para el año 2000 la había convertido en la compañía de químicos privada más extensa del mundo y en el negocio familiar más grande de América, con más de $12 billones de dólares en ingresos anuales. En el 2005 la convirtió en empresa pública. Jon fue el asistente especial del Presidente Nixon en la Casa Blanca y se convirtió en el primer americano en poseer un capital mayoritario de una empresa en la antigua Unión Soviética. Es el Director del Comité de Supervisores de Wharton School en la Universidad de Pensilvania, su Alma Mater. El Sr. Huntsman ha sido parte de la mesa directiva de numerosas corporaciones públicas y organizaciones filantrópicas incluyendo la Cámara de Comercio de los Estados Unidos y la Cruz Roja Americana. El área de Business School de la Universidad del Estado de Utah lleva su nombre, así como la cancha de basquetbol de la Universidad de Utah. El Fondo de Negocios Huntsman es la principal aseguradora del prestigioso Huntsman Cancer Institute que él fundó en la ciudad de Salt Lake. Las instalaciones del centro de investigaciones del hospital se han convertido en líderes en prevención, diagnóstico temprano, herencia genética y tratamiento del cáncer. Jon Huntsman vive con su esposa Karen en Salt Lake. Su hijo mayor, Jon Jr, fue Gobernador de Utah.